Mientras el aire es nuestro
Antología

Letras Hispánicas

Jorge Guillén

Mientras el aire es nuestro
Antología

Edición de Philip W. Silver

TERCERA EDICION

CATEDRA

LETRAS HISPANICAS

Ilustración de cubierta: Nacho

© Jorge Guillén
Ediciones Cátedra, S. A., 1984
Don Ramón de la Cruz, 67. Madrid-1
Depósito legal: M. 28.220.—1984
ISBN: 84-376-0168-1
Printed in Spain
Artes Gráficas Benzal, S. A. Virtudes, 7. Madrid-3
Papel: Torras Hostench, S. A.

Índice

II: CLAMOR

III: HOMENAJE

IV: Y OTROS POEMAS

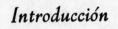

Introducción

Jorge Guillén "Amigo de mirar"

A pesar de los lúcidos ensayos de Amado Alonso y
Ramón Xirau y los libros de Joaquín Casalduero, Jaime
Gil de Biedma y Joaquín González Muela, no me parece
imposible que un buen día Jorge Guillén nos pida el
libro de reclamaciones a todos los que hemos tratado
su obra. De alguna manera ya lo ha hecho —con su
acostumbrada humildad e ironía— en *El argumento de
la obra*. Y con qué razón. Porque, ¿no es una verdad
de todos admisible que desde 1929 —cuando Amado
Alonso publicó el ensayo leído en el banquete-homenaje
a la primera edición de *Cántico*— hasta el momento apenas si se ha dicho nada realmente nuevo y relevante sobre
la obra poética de Guillén? Ha sido, por tanto, todo menos una ventaja el hecho de que, como puntualiza Ramón
Xirau en su ensayo, la poesía guilleniana fuese «tan rápi-
damente clasificada y definida» [1]. Porque, no cabe duda,
la perspicacia y la felicidad descriptivas de Amado Alonso,
al hablar de lo novedoso de la poesía de Guillén como
un descubrimiento de «esencias», ha dejado como deslumbrados a todos los críticos posteriores. Por lo menos
no creo equivocarme al calificar a toda la crítica posterior
sobre Guillén —con muy contadas excepciones— de variaciones sobre este mismo tema.

---

[1] Ramón Xirau: «Lecturas a *Cántico*», *Jorge Guillén*, edición de
Birutè Ciplijauskaitè, Madrid, Taurus, 1975, pág. 129.

Aun así, y mirado más de cerca el asunto, tampoco es que hayan sido siempre muy fieles estas variaciones. Porque si el crítico argentino hace ver que Guillén, como poeta —y cito—,

> No quiere encubrir [la realidad]; [sino] descubrir, desvestir el objeto de sus propiedades transitorias —existenciales, diría un fenomenólogo— para sorprender su secreto sentido, su alma escondida: su estructura, su esencia [2],

esta lucidez de pensamiento y este primor expresivo sufren un paulatino, pero muy notable, desmoronamiento en las distintas versiones de algunos críticos posteriores. Si bien Dámaso Alonso, en un famoso ensayo, habla con perspicacia de realidades concretas y de abstracciones en la poesía de Guillén —y de la rapidez con que el poeta pasa de las primeras a las segundas—, otro crítico, Andrew P. Debicki, se ha referido recientemente, con bastante menos precisión, a una «combinación de lo concreto y de lo universal» y a una «unión de lo particular y lo universal» [3]. Para este crítico lo que Amado Alonso ofreció como descripción genérica de la poesía de Guillén sería uno de los temas más importantes de la misma. Como aclara Debicki, «una y otra vez la poesía (de Guillén) se presenta como manera de penetrar en la realidad y de captar sus esencias» [4]. Ahora bien, ¿cómo explicar este desafortunado esfumarse de una idea crítica tan genial?

Lo que sucede, sin lugar a dudas, es que en el trasvase de esta idea se extravió en seguida la importante —fundamental— alusión a la fenomenología. Y, faltándoles el apoyo de lo que es el eje de la noción original, críticos posteriores a Amado Alonso parecen ya no comprender del todo el verdadero sentido del tópico que se disponían a manejar. Por lo menos éste es el caso de Debicki. Porque decir, como él dice, que muchos poemas de todas las épocas de *Aire nuestro* se distinguen porque revelan

---

[2] *Jorge Guillén*, pág. 118.
[3] Véase *La poesía de Jorge Guillén*, Madrid, Gredos, 1973, páginas 20-21.
[4] *Ibíd.*, pág. 51.

«simultáneamente un gran sentido de lo concreto y de lo inmediato, y la presencia de visiones más absolutas y universales»[5], es emitir un juicio tan impreciso que difícilmente puede concebirse un poema de cualquier poeta al que estas palabras no sean por igual aplicables.

Pero si la crítica posterior a Amado Alonso ha perdido la pista, tampoco parece muy claro que él mismo hubiese pensado a fondo todo lo que complica su alusión a una aparente semejanza entre la manera de proceder de Guillén como poeta y esa piedra filosofal de la fenomenología husserliana, la intuición eidética. Porque en el párrafo siguiente del citado ensayo, el crítico y filólogo español no duda en incorporar a este Jorge Guillén, protofenomenólogo, a la gran aventura del *Modernism* angloeuropeo, junto con Mallarmé y Proust, en beneficio de un supuesto deseo común de «salvar lo perdurable y esencial del seguro naufragio que es el azaroso existir temporal»[6]. Y ¿cómo podemos aceptar que se reduzca la obra de Guillén —y no digamos de Mallarmé— a algo así como una simple puesta al día del viejo tópico de *collige, virgo, rosas?* No; no podemos aceptar ligerezas de este tipo. Me temo que, con dar todo el fruto que ha dado, los críticos posteriores a Amado Alonso no hayan podido sacar más partido de la estupenda noción de fenomenología y poesía de Guillén, porque en manos del mismo Amado Alonso la idea no pasa de ser una genial intuición que dejó sin el suficiente desarrollo como para que *sus* lectores pudiesen enterarse de su verdadero alcance. Que yo sepa, al menos, nadie hasta la fecha se ha tomado la molestia de investigar debidamente esta intuición.

Así enfocada la cuestión, quizá no esté de más, a manera de prólogo, contar en estas páginas primero la prehistoria de esta idea o noción de la poesía de Jorge Guillén y luego los motivos de su inadecuación. Desde luego, la idea en sí lo merece por ser una de las pocas referencias de interés acerca de esta poesía, a la vez

[5] *Ibíd.*, pág. 20.
[6] *Jorge Guillén*, pág. 119.

difícil y cordial. Y no se trata de restar originalidad a Amado Alonso, aun cuando viéramos cómo él parte de un fondo común de conocimientos muy de la época. Al contrario; la justificación última de nuestro ensayo se encuentra, aun cuando resulte evidente cierta relación entre fenomenología y poesía en el primer Guillén, en la pretensión de que se reconozca de una vez cuán perjudicial resulta para la comprensión del *Aire nuestro* de hoy el seguir delegando autoridad explicativa en una noción que tendría vigencia sólo para el *Cántico* de 1936 o de 1945.

I

... un livre qui prend sa valeur d'autres livres, qui est original s'il ne leur ressemble pas, qui est compris parce qu'il est leur reflet.

Maurice Blanchot, *La Part du Feu.*

Sólo ahora comenzamos a entender lo que es la auténtica historia literaria y a ver la distancia absoluta que media entre una verdadera hermenéutica literaria y la antigua historia literaria que, como suele decirse actualmente, ni es historia, ni es literaria. Y no se trata, por supuesto, de reemplazar a la caduca historia literaria positivista con la llamada intertextualidad de la crítica semiótica. Porque una de las pretensiones de la semiótica es suprimir esa subjetividad trascendental que es constitutiva de toda literatura. No; una auténtica historia literaria —que sería al mismo tiempo auténtica hermenéutica— debe dejarse de ilusiones cientificistas y reconocer que la literatura es un tejido de lenguaje *y* subjetividad. Y reconocer asimismo que tanto en el caso del escritor como en el del crítico, entre la obra y la obra-respuesta siempre media la subjetividad de la lectura. Lo cual permite afirmar que la interpretación misma no es más que la posibilidad de error[7]. Porque, igual para el escritor que para el crítico, ser es discrepar.

¿Cuál es el camino más idóneo, más corto, para llegar a la comprensión de un autor? Rehuir cualquier biografismo y esforzarse en el análisis de la diferencia que representa el autor novel para con la tradición inmediatamente anterior. Por su dosis de aberración —no psicológica, por supuesto— lo reconocerás.

Ahora bien, todo autor descubre, a propósito o no, sus propias fuentes importantes, es decir, sus contrincantes de peso, aunque nunca debe sorprendernos que el mismo autor diga, como Dámaso Alonso, que «nuestra generación no se alza contra nadie». Afirmación, después de todo, inútil, porque, como es claro, de no haberse alzado contra alguien, todos habrían pasado a la no-historia sin pena ni gloria. Y harto sabemos que las cosas no han resultado así. Con justicia o sin ella, se habla de los de la generación del 27 como una generación pléyade de muy rara brillantez. Y se habla en tales términos porque primero Salinas y Guillén y luego el resto de la generación del 27 eran lo bastante parricidas como para distinguirse nítidamente de la tradición o, mejor dicho, las tradiciones que campeaban en el poder. Entre 1923 y 1928 Salinas y Guillén sobre todo —pero otros también— hicieron que una nueva concepción de la poesía echase raíces, logrando de esta manera imponer la idea de que si una poesía no fuese «moderna» a *su* manera, difícilmente se le concedería el nombre de poesía.

Entonces, para Guillén (y Salinas) ¿cuál sería su punto de inserción en la tradición poética? Puesto que ni Rubén Darío, ni Antonio Machado, ni la presencia más voluble de todas, Juan Ramón Jiménez, ofrecieron un flanco vulnerable, decidieron entrar por la trastienda del último simbolismo francés; mas, acogiéndose al amparo de la generación del 14, es decir, a la sombra de Ortega.

De manera que lo descrito como el periodo de ascendiente de la generación de 1914 (en la república de las

[7] Paul de Man, *Blindness and Insight: Essays in the Rhetoric of Contemporay Criticism*, Nueva York, Oxford University Press, 1971, pág. 141.

letras hasta el comienzo de la República) es en realidad el fondo contra el que debemos proyectar cualquier exposición históricamente exacta de la llegada a la madurez de Guillén y Salinas. Mucho, aunque no lo suficiente, se ha escrito sobre sus contactos con la literatura francesa, concretamente con Valéry y Proust, pero se ha prestado poca atención a su primera formación intelectual en España, aparte de señalar, en el caso de Salinas, los resultados de sus lecturas de Machado, Unamuno y Juan Ramón en su primer libro de poemas, *Presagios* (1923)[8]. Pero Salinas era también, en igual medida, producto del Ateneo durante los años en que Ortega, Azaña y otros echaban los cimientos de la República y al mismo tiempo un joven erudito, discípulo de Menéndez Pidal en el Centro de Estudios Históricos. Aunque su amistad con Enrique Díez-Canedo, coeditor de una importante recopilación, *La poesía francesa moderna* (1913), así como sus primeros poemas publicados en *Prometeo,* en 1911, y sus lazos con el grupo de Ricardo Baeza, sugieren la imagen de un joven esteta[9], es seguro que el realismo político del Ateneo, también hizo mella en Salinas. Un artículo publicado en el *A B C* del 24 de marzo de 1914 sobre la Liga de Educación Política incluye a Salinas entre los firmantes del manifiesto, junto con Ortega y Gasset, Pérez de Ayala, Enrique de Mesa, García Martí, García Morente, Viñuales, Díez-Canedo, Federico de Onís, Azaña y Pittaluga. Y el año siguiente, siendo lector de español en la Sorbona, Salinas dedicó un tiempo considerable a la traducción al español de tres libros de propaganda antigermánica[10]. Estos ejemplos sugieren, con razón, que Salinas se movía con holgura en la orientación política de la generación de 1914 y que compartía sus preocupaciones nacionales e internacionales, tanto en lo académico y artístico como en lo político.

---

[8] Ángel del Río, «El poeta Pedro Salinas: su vida y obra», *Estudios sobre literatura española contemporánea,* Madrid, Gredos, 1966, págs. 181-183.

[9] Juan Marichal: *Tres voces de Pedro Salinas,* Madrid, Taller de Ediciones Josefina Betancor, 1976, págs. 30-32.

[10] Ángel del Río, *Estudios,* pág. 186.

Dejando aparte cuestiones de temperamento, hay una marcada diferencia en la manera cómo Guillén se ubica en la corriente principal de la tradición elegida. Sólo dos años menor que su mentor y amigo Salinas, su contacto con Francia —sucedió a Salinas en 1917 como lector de español en la Sorbona— tocó más de cerca el centro de su creatividad y le sirvió de arma de defensa para conjurar la temprana atracción de Juan Ramón Jiménez. Salinas empezó a publicar poemas en 1911, mientras que Guillén, según ha declarado él mismo, comenzó a *escribir* poesía en 1919, cuando estaba enseñando en Francia. Su aclimatación fue tan completa y constituyó una parte tan fundamental del hecho mismo de empezar a escribir poesía, que pudo elaborar una síntesis más completa de las preocupaciones vocacionales y nacionales que Salinas. Cuando en 1923 fue invitado a colaborar en un número de *La Pluma* dedicado a Valle-Inclán, Guillén dio muestras de cómo había logrado conjugar su experiencia de la poesía simbolista, especialmente de Mallarmé y Valéry, con el punto de vista anti-generación-del-98 y «circunstancialista» de la generación de Ortega. Pudo alabar a Valle-Inclán como el «poeta puro de la generación de 1898» precisamente a causa de las blancas páginas mallarmeanas que éste no había cubierto con el problema de España, al mismo tiempo que asumía toda la responsabilidad de ser español. Decía Guillén:

> Oh, aquel terrible nacionalismo o redropelo de aquellos demoledores del 98. Basta, basta. Necesito ser *real* como un europeo cualquiera. No me place, hipotético, sentirme perdido, egregiamente perdido en la irrealidad de una España demasiado planteada como problema... ¿No es bastante vivir simple y fuertemente —sin más— esta tremenda y magnífica fatalidad de *ser* español? [11].

Guillén revela también una gran afinidad espiritual con Salinas y con la generación de 1914 cuando reconoce que ser europeo y español es algo que no tiene forzosamente

---

[11] Jorge Guillén, «Valle-Inclán y el 98», *La Pluma,* núm. 32, enero, 1923, pág. 70. Véase ahoa el documento completo publi-

por qué colocar al artista creador en un dilema: el de unir, antes que oponer, lo español y lo europeo. En todo caso, tanto Guillén como Salinas debieron darse cuenta en seguida, cuando empezaron a frecuentar las oficinas de la *Revista de Occidente,* y a medida que su familiaridad con Ortega aumentaba, de que el filósofo había enfrentado y resuelto ese mismo problema en 1913-14 con la redacción de las *Meditaciones del «Quijote».* Quizá lo que los empujó hacia Ortega fue precisamente darse cuenta de que él había dado una solución filosófica a un problema nacional, de que lo había descontaminado, es decir, había mostrado que se le podía tratar de un modo profesional y vocacional más que personal. Tal vez, evadidos momentáneamente de la agobiante presencia poética de Juan Ramón Jiménez, se sentían a salvo en la atmósfera cosmopolita de la *Revista de Occidente.* En todo caso, ambos se ligaron a la revista de Ortega y ambos, por su presencia en la tertulia de éste, se hallaron en una posición privilegiada para observar desde cerca la evolución de su filosofía.

Es significativo cómo Guillén y Salinas compartieron esta posición durante el periodo que marca *su* ascendiente sobre los miembros más jóvenes de la generación de 1927. Se trata, naturalmente, de la época que va más o menos de 1923 a 1930 y que la mayoría de los críticos y de los mismos participantes miran retrospectivamente como una especie de aberración: la época de la «poesía pura» y de la «deshumanización del arte». Pero conviene no hacer caso de las connotaciones peyorativas que adquirieron esos términos y fijar bien la atención sobre dos puntos: 1) que en España Salinas y Guillén fueron en parte responsables, debido a su posición de guías, de lo que estos términos pretendían originalmente describir, fuera ello lo que fuera, y 2) que durante esa época estuvieron en contacto estrecho con Ortega. La lectura de las *Meditaciones del «Quijote»* y otros ensayos «literarios» de Ortega, junto con la de *Presagios, Seguro Azar,*

cado por Rodolfo Cardona, «Guillén y Valle-Inclán: de homenaje a homenaje (1923-1977)», *Cuadernos Hispanoamericanos,* núm. 318, diciembre 1976, págs. 600-605.

Fábula y signo y los *Cánticos* de 1928 y 1936, sugiere que la atención, tanto de Guillén como de Salinas, digan lo que digan de los amigos poetas de París, se veía atraída hacia una nueva manera de ser poeta español que se desprendía de la labor de Ortega y Gasset. De modo que esa amistad de los dos poetas con Ortega durante aquellos años debería llevarnos a preguntarnos si no hay «afinidades electivas» entre el programa filosófico y el periodo Salinas-Guillén de la generación del 27.

II

Historia ilustre, libertad en blanco, sustentación de patria (341).

Jorge Guillén, *Cántico.*

Si tenemos razón en suponer: 1) que Guillén y Salinas deben verse como avanzada y como mentores de la generación del 27 propiamente dicha, y 2) que su madurez como poetas tuvo lugar bajo la égida de la generación de 1914 y en estrecho contacto con Ortega, entonces debemos mirar con más atención el contexto cultural en que nació su poesía. Se ha escrito bastante sobre el papel de Menéndez Pidal como director del Centro de Estudios Históricos, donde Salinas ocupó un puesto administrativo. Pero se ha escrito extraordinariamente poco sobre la capitanía paralela de Ortega en el campo de la filosofía; es decir, nada que sea pertinente para la historia literaria del periodo [12]. Y, sin embargo, mientras Menéndez Pidal reunía a su alrededor a figuras como Américo Castro, Federico de Onís y Tomás Navarro Tomás, Ortega, que había sustituido a Salmerón en la cátedra de Metafísica de la Universidad de Madrid en 1910 constituyó

---

[12] Véase ahora Philip W. Silver, *Fenomenología y razón vital: La Génesis de «Meditaciones del Quijote» de Ortega y Gasset,* Madrid, Alianza Editorial, 1978.

un equipo comparable de filósofos, y juntos realizaron un segundo milagro. Cuando Ortega regresó de Alemania se le consideraba neokantiano. Pero en 1913, el año en que compuso las *Meditaciones del «Quijote»*, la fenomenología hacía sentir su presencia fuera de Alemania con la publicación de las *Ideas,* de Husserl, y de la *Ética,* de Max Scheler, en el *Jahrbuch der Phänomenologie.* Y al mismo tiempo, bajo la dirección de Ortega, empezaba en España lo que Spiegelberg ha llamado una «asombrosa naturalización» de la misma [13]. En poco tiempo Madrid se convirtió en uno de los centros pioneros de los estudios fenomenológicos en Europa. Desde 1914 ó 1915 hasta fines de los años 20, los filósofos más estimados fueron Brentano, Husserl, Scheler y Hartmann. José Gaos, que llegó de Valencia para completar su graduación en 1921, esperaba estudiar con neokantianos, pero en lugar de eso, como él mismo recuerda, «me encontré con que Morente se puso a dedicar un día a la semana a explicar la fenomenología de Husserl porque era la última palabra a que había que atender…». Y así, durante una década, Gaos se alimentó de una síntesis de fenomenología realista como verdadera y única filosofía [14]. A esta distancia en el tiempo podríamos sentirnos tentados a pensar que la experiencia de la fenomenología de Gaos no fue más que una experiencia académica de un joven filósofo, una experiencia que no pasó de las salas de conferencias universitarias. Nada más alejado de la verdad. Ortega era, a la vez, un estético, un metafísico y un pensador político y su entusiasmo por Husserl y Scheler se hacía sentir no sólo en la Facultad de Filosofía y Letras de San Bernardo, sino también en el Ateneo, en la Residencia de Estudiantes y en el Centro de Estudios Históricos.

Si se ha escrito poco hasta ahora sobre la extensión de este interés en la fenomenología se debe a que quienes más han hecho en el periodo de posguerra para asegurar y defender la posición de Ortega en España han restado importancia a la influencia de esta corriente en su des-

---

[13] Herbert Spiegelberg, *The Phenomenological Movement,* The Hague 1960, t. 2, pág. 612.

[14] José Gaos, *Confesiones profesionales,* México, 1958, pág. 33.

arrollo filosófico. De tal modo que el lector casual es alentado a aceptar sin más examen la pretensión de Ortega de que en 1914 había rebasado el idealismo de las *Ideas,* de Husserl, y dejado atrás la fenomenología. De hecho, Ortega reaccionaba frente a Husserl y a Scheler como Sartre y Merleau-Ponty lo harían unos veinticinco años más tarde. Pero si Ortega fue uno de los primeros en reaccionar contra el «idealismo metodológico» (P. Ricoeur) de Husserl, no debe utilizarse ese hecho para negar lo que fue, desde un punto de vista cultural, uno de los ingredientes importantes en la vida intelectual española de aquella época: a saber, el hecho de que de 1914 a 1929 Ortega fue considerado como un exponente, hasta cierto punto crítico, de la fenomenología y reputado en España y Argentina como fenomenólogo de clase superior. Más aún: en ningún sitio está este hecho más abundantemente documentado que en la rama de la filosofía que precisamente era de esperar que atrajera a los escritores y críticos más jóvenes, en los numerosos ensayos de Ortega sobre estética y arte.

Sucede que Ortega, por los mismos años en que Salinas escribe sus primeras poesías, toma contacto con la fenomenología de Scheler y Husserl, y de ser un neokantiano pasa a ser un filósofo original con la superación de lo que él vio como una recaída en el idealismo del Husserl de las *Ideas.* Por otra parte, y antes de deshacerse del todo de la poderosa influencia de la escuela neokantiana de Marburgo, Ortega había empezado a elaborar a través de varios ensayos, como «Arte de este mundo y del otro», «Adán en el paraíso», «Renán» y otros dos sobre Zuloaga, una diagnosis de la manera española de acercarse a las cosas. Y para mayor sorpresa, a pesar de haber escrito estos ensayos bajo la influencia de la estética de Hermann Cohen, Ortega logró acto seguido pasar a ocupar una posición más allá de la fenomenología husserliana sin que se notase la menor discontinuidad en la superficie de aquella «estética española» que venía elaborando. Es más; aquella estética —en sentido literal—, que nació con evidentes raíces neokantianas y que, por tanto, Ortega condensó en la fórmula platónica neokantiana de «salvar

las apariencias», pervive en la primera etapa fenomenológica (Meditaciones del «Quijote»), donde, como era de
esperar, tiene un alcance muy distinto.

Resultado de esta continuidad en la estética orteguiana
fue que sus contemporáneos —Guillén, Salinas y otros—
vieron en su obra, en exposición ininterrumpida, lo que
el mismo autor describió como «un ensayo de estética
española y como una justificación teórica de nuestra peculiaridad artística» (O. C., I, 190) [15]. ¿Cuáles son las
ideas expuestas en estos ensayos? Veamos primero la
parte diagnóstica, de índole neokantiana, y luego el tra-
tamiento recetado poco después de fuentes más propiamente orteguianas, es decir, fenomenológicas.

Ortega abordó el tema de la manera española de acercarse a las cosas mediante una ampliación de las clasifi-
caciones de Worringer. Habló, a su vez en «Arte de este
mundo y del otro», de un hombre mediterráneo:

> El hombre español se caracteriza por su antipatía hacia
> todo lo trascendente; es un materialista extremo. Las cosas,
> las hermanas cosas, en su rudeza material, en su individua-
> lidad, en su miseria y sordidez, no quintaesenciadas y
> estilizadas, no como símbolos de valores superiores..., eso
> ama el hombre español. Cuando Murillo pinta junto a la
> Sagrada Familia un puchero, diríase que prefiere la grosera
> realidad de éste a toda la corte celestial; sin espiritualizarlo
> lo mete en el cielo con su olor mezquino de olla reca-
> lentada y grasienta (...).
> La emoción española ante el mundo no es miedo, ni es
> jocunda admiración, ni es fugitivo desdén que se aparta
> de lo real; es de agresión y desafío hacia todo lo supra-
> sensible y afirmación malgré tout de las cosas pequeñas,
> momentáneas, míseras, desconsideradas, insignificantes,
> groseras (I, 199-200).

Y no se le escapará al lector que esta descripción abarca
no sólo a Murillo, sino también a Lucano, Cervantes y,
entre los del 98, a Azorín. Acto seguido Ortega se pregunta si «cabe más trivialismo» y se contesta a sí mismo:

---

[15] José Ortega y Gasset, Obras Completas, 6.ª ed., Madrid,
1962-1966, t. I, pág. 190. (Abreviaré en adelante I, páginas).

Sí; aún cabe más. Recordad que Diego Velázquez de Silva, obligado a pintar reyes, Papas y héroes, no pudo vencer la voluntad artística que la raza puso en sus venas, y va y pinta el aire, el hermano aire, que anda por dondequiera sin que nadie se fije en él, última y suprema insignificancia (I, 200).

Para Ortega, desde luego, Velázquez sería el máximo representante de la peculiaridad artística española y del «realismo español», como sugiere en «Tres cuadros del vino». Pero es también precisamente a propósito de Velázquez por lo que Ortega, dando por terminada su diagnosis, empieza a indagar acerca de un posible remedio a esta «valiente aceptación del materialismo» (II, 57). Y es entonces cuando se pregunta si el realismo no es una limitación severa. Desafortunadamente, dice Ortega, refiriéndose a *Los borrachos,* de Velázquez:

> Decir que no hay dioses es decir que las cosas no tienen, además de su constitución material, el aroma, el nimbo de una significación ideal, de un sentido. Es decir que la vida no tiene sentido, que las cosas carecen de conexión (II, 58).

Ahora bien, cualquier lector algo familiarizado con la obra de Ortega se dará cuenta de que con esta pregunta retórica acerca del realismo español como limitación, estamos ya dentro del programa de reforma nacional y cultural que se anuncia en *Meditaciones del «Quijote»* y en el ensayo «Verdad y perspectiva», publicado en *El Espectador,* I, 1916. Dada la situación de entonces de un positivismo trasnochado y consecuente con su interés por la fenomenología, Ortega no tuvo más remedio que recetar una fuerte dosis de «idealismo metodológico» para su patria, al mismo tiempo que adelantaba su propio pensamiento filosófico en *Meditaciones del «Quijote».* Poco después, con la publicación de este primer tomo de *El Espectador,* decide convocar a los que llamará «amigos de mirar», gente egregia dispuesta a aceptar —en las ya citadas palabras de Guillén—, la «tremenda y magnífica fatalidad de *ser* español». Y al convocar a estos «amigos de mirar» Ortega les presentó un esbozo de su programa terapéutico, un programa basado en su versión de la fenomenología. En la introducción al primer tomo, Ortega explicó la necesidad de un programa de reforma como el suyo:

> ... la vida española nos obliga, queramos o no, a la acción política. El inmediato porvenir, tiempo de sociales hervores, nos forzará a ella con mayor violencia. *Precisamente por eso yo necesito acotar una parte de mí mismo para la contemplación.* Y esto que me acontece acontece a todos. Desde hace medio siglo, en España y fuera de España, la política —es decir, la supeditación de la teoría a la utilidad— ha invadido por completo el espíritu (II, 15).

En vista de esta situación, dice Ortega, debe «afirmarse de nuevo en la obligación de la verdad, en el derecho de la verdad». Y luego se refiere al papel de los «amigos de mirar» en esta devoción por lo verídico:

> Y pido en él (el mundo) un margen para el estado que llaman de los espectadores. El nombre goza de famosa genealogía: lo encontró Platón. En su *República* concede una misión especial a los que él denomina *filotheamones* —amigos de mirar. Son los especulativos, y al frente de ellos los filósofos, los teorizadores, que quiere decir los contemplativos.
> *El Espectador* tiene, en consecuencia, una primera intención: elevar un reducto contra la política para mí y para los que compartan mi voluntad de pura visión, de teoría (II, 17).

Excepto que la misma palabra «filósofo» ya no tiene las connotaciones de «gris teoría», porque ahora su objeto es la vida misma. *El Espectador* «especula, mira —pero lo que quiere ver es la vida según fluye ante él». Ya no puede haber una verdad absoluta y abstracta; la única verdad será la que se ve desde la perspectiva de uno mismo:

> La verdad, lo real, el universo, la vida —como queráis llamarlo— se quiebra en facetas innumerables, en vertientes

28

sin cuento, cada una de las cuales da hacia un individuo. Si éste ha sabido ser fiel a su punto de vista, si ha resistido a la eterna seducción de cambiar su retina por otra imaginaria, lo que se ve será un aspecto real del mundo (...).

El chorro luminoso de la existencia pasa raudo: interceptemos su marcha con el prisma sensitivo de nuestra personalidad, y del otro lado, sobre el papel, sobre el libro se proyectará un arco iris. Sólo de esta suerte se liberta la teoría de su tono en gris menor (II, 19-20).

Y, por último, en el mismo tomo de 1916 hay la siguiente apóstrofe a los «amigos de mirar»:

¡Poetas, pensadores, políticos, los que aspiráis a la originalidad y a mundos siempre nuevos! No pretendáis crear las cosas, porque esto sería una objeción contra vuestra obra. Una cosa creada no puede menos de ser una ficción. Las cosas no se crean, se inventan en la buena acepción vieja de la palabra: se hallan. Y las cosas nuevas, las minas aún no denunciadas, se encuentran no más allá, sino más acá de lo ya conocido y consagrado, más cerca de vuestra intimidad y domesticidad, en torno de vuestras entrañas, llenando en inmenso filón las horas más humildes de vuestra vida (II, 28).

Sería imposible comentar aquí una obra de la complejidad de *Meditaciones del «Quijote»*. Pero debemos, por lo menos, aludir sumariamente a su conexión con el programa ya expuesto en *El Espectador*. Debería ser claro a estas alturas que su fórmula central —«yo soy yo y mis circunstancias»— está relacionada con ese perspectivismo que es el fundamento de «Verdad y perspectiva» y que Ortega dedujo de la noción de intencionalidad expuesta por Husserl. En las *Meditaciones,* recordémoslo, la realidad *es* una perspectiva. Pero en *Meditaciones* Ortega también hace hincapié en que, para no verse vencido por la inercia del polo objetivo, de la cruda realidad caída, el hombre debe luchar por interpretar, por dar sentido, por hacer un «mundo» de las obtusas superficies. Siendo esto así, Don Quijote se convierte en su búsqueda interpretativa, extractora de *logos,* en el emblema de

29

todos nosotros y es así como pronto vieron Salinas y Guillén la encarnación de una epistemología para poetas. Su *ver* es un *mirar;* en un mundo caído, sin dioses, es una visión activa que levanta en peso la realidad. Casi podría decirse que Don Quijote es el héroe de la Razón vital. En vez de ser un idealista romántico, es como el «amigo de mirar», el filósofo o el poeta, que aumenta nuestra cosecha de realidad al obrar la salvación de su peculiar perspectiva sobre el mundo.

Es evidente que este brevísimo esquema de la estética de Ortega se ha mostrado como algo insatisfactorio. La razón estriba en que he intentado únicamente destacar, sin caricatura, algunos aspectos que me parecen de indudable interés en relación con la manera un tanto original de cómo Guillén y Salinas se instalan en la tradición poética española. Porque a estas alturas del análisis no creo que pueda dudarse que tanto Guillén —con su mirar de alta planicie castellana —como Salinas— con su muy peculiar perspectiva sobre el espectáculo urbano y tecnológico— se encontraban en las filas de los que Ortega bautizó con el nombre de *filotheamones* —amigos de mirar.

Es ésta la parte de verdad que subyace a la analogía que hace Amado Alonso entre la fenomenología y la poesía de Guillén. Pero fallada la cuestión así, nos sale al paso esta otra: ¿En qué medida, hasta qué punto, debemos otorgar autoridad crítica, explicativa, a lo que es mera analogía, aun cuando tuviera una base histórica en la época? ¿No se infringe así la ley territorial de la obra de arte literaria, ente, por definición, autónomo, ensimismado y sólo en este sentido a-histórico? ¿No se tiende a hacer así con la obra de Guillén *mutatis mutandis,* lo que se suele hacer con la obra de Cervantes y la de tantos otros autores? Es decir, primero meter dentro de una obra literaria lo que es el «espíritu de la época», sea barroco, cubista o vagamente fenomenológico, y acto seguido, como por arte de birlibirloque, sacar de nuevo aquel mismo «espíritu» ahora trocado en el «sentido» de la obra. Me temo que sí; que esto es lo que hacemos con Guillén. Urge, por tanto, deshacernos de esta explicación «fenomenológica» de su poesía y volver al examen de la misma con una óptica nueva.

III

El infante no dice más que vida...
JORGE GUILLÉN, *A. N.*, 384.

Poesía como arte de la poesía: forma de una encarnación. Podríamos escribir esta palabra con mayúscula: misterio de la Encarnación. El espíritu llega a ser forma encarnada misteriosamente, con algo irreductible al intelecto en estas bodas que funden idea y música.

J. G., *Lenguaje y poesía*, 240.

Sin embargo, si descartamos sin más esta noción, si no nos preguntamos por la razón de su misma tenacidad, dejamos escapar una importante oportunidad de descender a un nivel interpretativo más hondo. Lo que acabamos de ver en la interpretación de la poesía de Guillén podría llamarse, a lo Breton, de los vasos comunicantes. Es un fenómeno tan corriente en la crítica que nos da pie para sugerir no sólo una visión alterna de la poesía guilleniana sino también del decir poético en general. Lo que observamos es una especie de trasvase que era o la influencia de un filósofo (Ortega), sin mediaciones, sobre un poeta (Guillén), o un proceso según el cual los críticos descubren *en* la obra guilleniana, a modo de *sentido* de ésta, lo que es el espíritu de la época.

Ahora bien, a estas alturas, no se trata de fallar la cuestión a favor de una u otra alternativa. Lo que importa ahora es ver cómo la misma tenacidad de esta noción crítica es señal de una resistencia general a abordar otra interpretación del sentido de la obra literaria que no sea la expresiva. Porque de no acatar esta idea —que desde el Romanticismo es la vigente—, estaríamos obligados a enfrentarnos con un hecho a duras penas concebible. A saber, que nuestra comprensión de cómo significan los poemas está basada en la ilusión de un superávit expresivo del cual, en realidad, no disponemos. Por lo tanto, creo que ya es hora de aceptar la idea de que la poesía nunca «expresa», sino que a lo sumo «manifiesta» interioridades inventadas. Y que si la poesía lírica sólo es (re) presentación icónica de una situación comunicativa imaginaria, difícilmente puede considerarse acto real de comunicación. Si esto es así, ¿cómo justificar el ideal de su sentido único «en» cada poema? ¿Y qué hacer ahora con el axioma fundamental de la estilística de una perfecta concordancia entre significante y significado? ¿No se derrumba la hipótesis de un «querer-decir» detrás del poema? Frente a tales preguntas, sólo hay una conclusión posible. El poema *en sí* ni «expresa», ni «simboliza», ni «dice», ni «sugiere» nada; *es*, a palo seco. Sigilosamente, en la lectura llana y normal, las palabras se mimetizan en «mundo» y, como obedeciendo a una ley inexorable, surge el sonido blanco de la ficción. Ya no «significa», *es*. Entonces, hasta que encuentre su intérprete adecuado, esa máquina retórica que es el poema permanece en estado virtual.

Afortunadamente, como vamos a ver, la poesía de Guillén es un caso límite del decir poético. Y porque lo es, va a aclararnos algo estas cuestiones conforme vayamos adentrándonos en los poemas. Sólo esperaba esta poesía transparente y enigmática a que la enfocáramos desde el punto de vista de la semiosis poética.

Decíamos antes que, aun cuando la relación fenomenología/poesía tuviera algún poder explicativo para el *Cántico* de 1936 o de 1945, resultaría poco adecuado para el *Cántico* definitivo, y menos aún para *Aire nuestro*. Sin embargo, como el mismo autor parece reconocer en su autocrítica, *El argumento de la obra* (1961), hay un paralelismo temático bastante obvio con la obra filosófica de Ortega. Además, ahí está también la opinión

32

de un excelente crítico como Joaquín González Muela. En esa parte de su libro sobre Guillén que podría llamarse lexicográfica, escribe: «*Ser* significa la existencia pura, es lo contrario de *nada;* pero no es lo mismo que *vida,* porque *vida* indica compromiso con el destino, hacienda y responsabilidad, en un sentido muy orteguiano» [16]. De manera que, a partir del *Cántico* de 1936 es fácil rastrear una temática vitalista que nadie dudaría en relacionar con la fenomenología existencialista de Ortega. Sin embargo, al señalar sin más el «existencialismo» de Guillén los críticos volvieron a desorientarse. Como partícipes del entusiasmo europeo por los escritos del primer Heidegger, críticos españoles de la posguerra llegaron a hablar del «existencialismo jubiloso» de Guillén. No es que los críticos se equivocaran del todo al hacer este tipo de alegorización de la poesía guilleniana; al contrario, en el mejor de los casos acertaron. Porque no es una exageración disparatada comparar a Guillén con el segundo Heidegger. La exageración era el querer homologar a Guillén con el primer Heidegger. A pesar del atractivo evidente de tales fórmulas, Guillén sólo es un poeta ontológico a medias, sin desarrollar. Se encuentra, más bien, en la línea, por cierto nada desdeñable, de la antropología filosófica de Kant, Feuerbach, Ortega, y Merleau-Ponty. Sus categorías son mundanas y organicistas, y sólo implícitamente ontológicas. Y su gesto más característico es anti-filosófico y, podríamos decir, digno del Feuerbach de *Principios para una filosofía del futuro.* Tanto es así que toda la obra de Guillén parecería recalcar la pregunta retórica de *Principios:* «¿Por qué no comenzar de una vez con lo concreto?» Mas el señalar un parentesco entre Guillén y Feuerbach no se hace para sumar otro nombre a una lista demasido larga en la bibliografía de la obra de Guillén. Al contrario, pienso que sería sumamente útil explorar las semejanzas, con el fin de medir la distancia entre la poesía de Guillén y la imagen usual de ella forjada por los críticos. Insistir sobre

---

[16] Joaquín González Muela, *La realidad y Jorge Guillén,* Madrid, Ínsula, 1962, pág. 53.

este punto nos facilitará una lectura correctiva de los poemas. Por tanto aquí abrimos un breve inciso sobre Guillén y Feuerbach.

Cuando éste escribe que «para respirar necesito el aire» y que «un ser que respira es inconcebible sin aire, un ser que ve, inconcebible sin luz», no se refiere a una dependencia fisiológica —según Granel— sino a una unión esencial, *ab initio*. Si Guillén fuese mínimamente acorde con el primer Heidegger, habría que decir algo parecido de él. Pero no es este el caso. Veamos lo que añade Gérard Granel a continuación: «Ce sol primitif d'expérience, qui ne se laisse point nier ni écarter et qui n'est pas un *concept* de l'expérience, mais bien la donnée incontournable (elle que, par conséquent, la raison moderne elle-même *vise,* quoique contradictoirement et vainement, dans son concept d'expérience) temoigne que l'homme n'est, ni à l'égard de lui-même, ni à l'égard des choses, dans un ''rapport'' (et encore moins dans *deux* rapports).» Así que el respirar, diría Feuerbach, «n'est jamais un simple échange d'oxygène et de CO_2, exhalaison autour de la plante, ni le halètement qui se passe dans le chien. L'homme seul *respire,* c'est-à-dire accueille, retient profondement, et reláche doucement comme une réponse *la bouffée d'air:* cette partie de cette forme-de-monde que je nomme «air», et qui n'est pas un mélange de gaz, mais une modalité de l'être-sur-terre, de même nature et de même extension que les couleurs des bois, elles aussi respirées, et que la lumière dont se remplissait les poumons de l'oeil» [17]. No puede haber conocedor de la poesía de Guillén que no sienta una especie de *frisson* de reconocimiento al leer estas palabras de Granel sobre Feuerbach. ¿Qué duda cabe? Parecen apuntar a lo que sería la intuición central de Guillén.

Sin embargo... si tomamos esta «ontologie du sensible» de Feuerbach como una medida y tratamos con seriedad de ajustar la poemática de Guillén a ella, ve-

---

[17] Gérard Granel, «L'ontologie marxiste de 1844 et la question de la 'coupure'», *Traditionis traditio,* París, Gallimard, 1972, páginas 214, 215-216.

remos al instante que hay importantes divergencias. El lector de Guillén sentirá una voz que le susurra al oído una negativa. El porqué de este reparo quedará aclarado si examinamos el poema, «Más allá». He aquí cómo termina la primera parte:

> Todo me comunica,
> Vencedor, hecho mundo,
> Su brío para ser
> De veras real, en triunfo.
>
> Soy, más, estoy. Respiro.
> Lo profundo es el aire.
> La realidad me inventa,
> Soy su leyenda. ¡Salve!

Vistas estas dos estrofas, que en nada desmienten el resto del poema, parecería un acierto la equiparación con Feuerbach. O sea, que el tema primordial de Guillén es la (re)presentación de la escena del descubrimiento de «l'unité originelle de l'être et de l'essence de l'homme» (Feuerbach/Granel). Además, el poemario de Guillén es, en lo fundamental —de *Cántico* (1928) a *Cántico* (1950) al menos— la celebración y *développement*, a veces demasiado prolijo, de este descubrimiento. ¿Y las diferencias entre Guillén y Feuerbach? También están a la vista en las dos estrofas citadas. Si recordamos que Feuerbach apuntaba a la liberación del ser humano de lo que él llamaba, con un calco hegeliano, «alienación», es evidente que el poema de Guillén se moviliza en sentido contrario. La alienación que denuncia Feuerbach surge cuando el hombre abdica de sus cualidades absolutas de ser humano para luego redescubrir estas mismas cualidades encarnadas en un Ser supremo. He aquí la medida exacta de la distancia entre Guillén y Feuerbach. Para éste el hombre es el *locus* del acontecimiento del Ser; para aquél el ser humano sería un ente dependiente, adjetivo. «La realidad *me* inventa», sí; «Soy *su* leyenda». Pero lo notable es que tampoco el mundo guilleniano es teocéntrico. Lo que nos descubre la comparación con Feuerbach es una actitud servicial no para con Dios, sino para con la Realidad, que asimismo no dudaríamos en denominar —con Feuerbach— alienada. Respirar no es, ante todo, en el caso de Guillén, «une modalité de l'être-sur-terre», sino un gesto de reverencia hacia el Otro, de acatamiento de una ley superior.

Aunque la poesía guilleniana es tan difícil que parecería exigir una paráfrasis filosófica, su tema primordial es tan simple que Guillén siempre ha tenido que habérselas con el problema del auto-comentario discursivo. A causa de la sencillez de su intuición —en contraste con el virtuosismo y variedad de su métrica—, Guillén siempre bordea el «prosaísmo». Por tanto, cuando Joaquín Casalduero sugiere que hay una afinidad entre el poema guilleniano y el cubismo, es difícil discrepar si se piensa en el estatismo no discursivo de los primeros dos *Cánticos*. Después, en libros sucesivos, habría que decir que su intuición primordial ha absorbido —ha sido visitada por— «materias extrañas» con la aquiescencia del autor. Como si éste permitiera llenarse poco a poco un espacio puramente literario que debía haber dejado vacío, en blanco. Por lo mismo, habría que añadir que el resultado de este embotamiento gradual ha sido un relajamiento de la tensión poética que tiene todas las características de una recaída en lo óntico desde una intuición ontológica original y generadora. Vamos a ver ahora cómo nuestras observaciones sobre Feuerbach y Guillén nos llevan de rebote a descubrir la esencia mimetológica, pero no expresiva-representativa, de la lírica de Guillén. Y puesto que su poesía es, como indicamos, un caso límite, sería como desvelar la esencia de la propia poesía lírica.

En relación con lo dicho, la afirmación de Casalduero tiene un interés especial. La idea de un parentesco entre la poesía de Guillén y el cubismo es acertada si entendemos —con Platón— que la característica esencial de la pintura es su peculiar mudez. Porque ¿qué duda cabe? el *Cántico* de 1928 es un libro decididamente mudo, hermético. Pero a partir de 1928 Guillén comienza a escribir poemas de mucha mayor extensión, poemas que son, como *El argumento de la obra,* ellos mismos, como paráfrasis del impulso originario de *Cántico* I. En otras palabras, Guillén se ha enfrentado con el mismo problema que sus críticos. A saber, cómo evitar la repetición del mismo enunciado cuando ese enunciado original es y ha sido todo lo que se puede decir. Pero sería de sumo interés, puesto que la poesía lírica tiene un temario sin límites, saber por qué Guillén vuelve una y otra vez al mismo enunciado. La solución de este enigma debería encontrarse en la naturaleza del propio enunciado primordial de Guillén. Por esto hemos de examinar con cierto detenimiento lo dicho antes —y de una manera magistral— por Guillén en *Cántico* I y II.

Ahora que Claude Vigée y otros han desechado el tópico del origen francés —Mallarmé y Valéry— de la poesía de Guillén, y que las ideas de Amado Alonso y Dámaso Alonso tienen menos fuerza explicativa que antes, ha llegado el momento de dar entrada a otro estudio de la poesía guilleniana. Y, en mi opinión, el candidato de más interés es el primoroso estudio de Robert G. Havard sobre las décimas de Guillén [18]. Más aún, este estudio aporta, por primera vez —y acaso sin saberlo— el secreto de la poética de Guillén. El ensayo de Havard tiene la virtud de ceñirse a aspectos puramente formales del Guillén temprano; de manera que evita los enredos temáticos de los demás críticos cuando aborda la cuestión del «sentido» de la poesía temprana. Más que la prehistoria de la décima guilleniana, la novedad del ensayo es una idea escueta y sin mistificaciones de lo que es la «poesía pura» en el caso de Guillén. Este acierto prepara el terreno para otro descubrimiento —el fundamental. Hasta ahora, los críticos no lograron decidir si tenía un papel más importante en el asunto la famosa carta de Guillén a Fernando Vela —donde refiere su amistad con Valéry— o la versión que lanza H. Brémond en *La Poésie pure* (París, 1926). Havard decide reconciliar a los adversarios: Guillén sigue la línea esbozada por Machado al aprender tanto de Valéry como de Brémond. El poeta francés re-

---

[18] «Las décimas tempranas de Jorge Guillén», *Jorge Guillén*, páginas 297-316.

comienda eliminar de la poesía «todo lo que no es poesía». El segundo predica la «élimination du prosaïsme». Son estas dos definiciones, pues, las que hacen que Guillén elija el poema corto, de pocas estrofas. Sin ir más lejos, como testimonio de su predilección, es notable lo que Guillén hace en «La hermosura de octubre». De este romance, muy en la línea del primer Juan Ramón Jiménez, compone Guillén tres poemas cortos: «Relieves», «El otoño: isla», y «Otoño, con chopos».

Y no podría ser otra la preferencia que lleva a Guillén a su forma más característica, la décima. Pero al decidirse por la décima, Guillén echa mano de una forma métrica más bien anodina, sin relieve en la modernidad. Según dice Havard: «La forma era manejable, claro está, y apetecible a aquellos poetas que no tenían mucho que decir.» En otras palabras —y Havard habla sin ironía— Guillén se decide por una forma métrica en consonancia con su «positivismo sencillo», con su «inclinación... hacia la concisión conjuntamente con cierta redondez disciplinada de forma». Havard ve que la mejor vía de acceso a la obra guilleniana es por el camino del «formalismo». Y con razón asevera, al justificar su comparación de la décima española y el *dizain* francés, que «la propiedad fundamental de la décima, su misma concisión, hace esta forma poética la más apropiada para configurar el concepto dinámico de la realidad que tiene el poeta. Para decirlo con más exactitud, debemos referirnos a la tensión poética más bien que a los temas: la propensión que tiene la décima de concentrarse en una imagen escueta...». Como rasgo privativo señala Havard la preferencia guilleniana por el «impresionante esquema centralizado (ababccdeed)» de la nueva décima, «con su pareado, y con su rima adicional y la compresión central», y sobre todo su simetría perfecta de 4 - 2 - 4 [19]. En resumen, es la décima la encarnación perfecta del motivo clave de la poesía temprana de Guillén, a saber, su «concentricidad».

No obstante, cuando Havard pasa a la interpretación

---

[19] *Jorge Guillén*, págs. 299-300, 298-299, 303.

de algunos poemas se encuentra con que es imposible permanecer dentro de los límites de un formalismo estricto. Su conclusión respecto a una décima temprana, «Panorama», es que la «forma no es sino una imagen de cierta disposición o condición psíquica que había experimentado el poeta». Ahora bien, cuando cualquier crítico llega a este punto, el poeta —cualquier poeta— siempre está predispuesto a confirmarle en su ilusión psicologista. Pero precisamente porque Havard parece tomar al pie de la letra lo que Guillén le comunica acerca del origen de «Panorama» («Guillén nos ha informado..., y fácil es comprender cómo...»), su conclusión resulta sorprendente y paradójica: por una parte piensa haber demostrado que «las cualidades formales y estructurales del poema contribuyen de una manera positiva a lo que el poema tiene que decir», pero por otra confiesa creer «que el poema en realidad no *dice* nada». En lugar de un *decir,* este poema de Guillén es una construcción formal; no significa —en paráfrasis del credo *Imagist* del poeta norteamericano, Archibald MacLeish, —*es.* Pero no es «Panorama» un caso aislado, insólito; al contrario, en *Cántico* I y II, hay muchos poemas —«Gran silencio», «Perfección del círculo»—→ que no son más que ejercicios formales. Por último, aunque Havard ofrezca explicaciones temáticas no muy convincentes, tales como «hacer palpable su sentimiento de plenitud», o el eliotesco «concepto paradójico de movimiento e inmovilidad», y, con más fortuna, «una búsqueda agresiva de la plenitud» (se refiere a «La salida»), no consigue salvar el abismo abierto por el tan notable hallazgo de que la poesía de Guillén no *dice* nada [20]. También le importa a este crítico tan perspicaz —en favor suyo hay que decirlo— el descubrimiento anexo de que las características formales del poema guilleniano están reñidas con cualquier «contenido» accesible a la paráfrasis. Es decir, que un formalismo retentivo-obsesivo es un vehículo poco apto para la temática expansiva de la plenitud guilleniana. A modo de exorcismo de dicho fantasma conceptual, Ha-

---

[20] *Ibíd.,* págs. 305, 308, 310, 313, 315.

vard echa mano —como hemos señalado— del susodicho *tema* del *movimiento* dentro de la inmovilidad, y de la búsqueda *agresiva* de la plenitud.

Mas el único resultado de este conato de exorcizar lo inexplicable es el abrir una caja de Pandora, porque, como no hay «ahínco» sin su correspondiente «resistencia», la denuncia del primero nos incita a preguntarnos por el carácter de la segunda. Lo que significa poner en tela de juicio la propia estructura de *Aire nuestro;* es decir, nos invita a rechazar la división *Cántico/Clamor* (luz/sombra) de la obra de Guillén como arbitraria. O a pensar si no sería menos arbitrario, más consecuente, que el orden de estos dos libros capitales fuera el inverso. A saber, primero el Infierno *(Clamor)* y luego el Paraíso *(Cántico),* orden también perfectamente asimilable a la presente estructuración del ciclo solar. De forma parecida, una vez leídos *Clamor, Homenaje* e *Y otros poemas,* cambia inexorablemente nuestra percepción del *Cántico* definitivo (1950). Si tanto Guillén como sus críticos se han extremado en demostrar la *continuidad* de *Cántico* a *Clamor,* parecería lícito que nuestro trato con el «poeta ideal» de *Clamor* nos llevara a revisar nuestra amistad con el «poeta ideal» de *Cántico.* Para dar sólo un ejemplo —a mi modo de ver, decisivo—, causa asombro saber que el «poeta», que a lo largo de *Cántico* se complace en la aurora y el despertar, hable una y otra vez, en *Clamor* e *Y otros poemas,* de un insomnio crónico. Pero volvamos a la intuición fundamental de nuestro crítico respecto al *decir* lírico, no expresivo, en Guillén.

Sin duda, el excelente ensayo de Havard nos ha puesto sobre la pista de una evaluación, si no definitiva, nueva, de la poesía de Jorge Guillén. Su preocupación por la métrica ha aportado datos importantísimos. Aun así Havard no supo calar lo bastante en su intuición, que él mismo ve sólo como descubrimiento local, aplicable a las décimas de *Cántico* I. Cuando la verdad es que ha pulsado un nervio que atraviesa la obra de Guillén de un extremo a otro. Porque si apelamos a las precisiones de Félix Martínez Bonati sobre la lírica, resulta obvio que la palabra clave de Havard, «*decir*», ha de tomarse en un

40

sentido técnico (el ensayo filosófico «dice», la poesía lírica «manifiesta»). Es decir, que el «sentido» que pueda tener es (según la distinción de Husserl, no de Frege) sentido-*Sinn* («la fenomenalidad del fenómeno», «sentido en su extensión más general») y no sentido-*Bedeutung* («sentido como objeto de un enunciado lógico o lingüístico»)[21]. De manera que Guillén, ya porque quiso que su poesía se homologara con la pintura cubista, ya porque le atrajese la visión orteguiana del *Modernism* europeo, ha redescubierto —literalmente— la verdad de la lírica, que es precisamente un «comunicar algo en esencia *indecible*»[22].

Poco puede agregarse al comentario de Havard a las décimas, si no es una última, pero importante, observación. Lo que «expresan» —o, más exactamente, *manifiestan*— décimas como «Panorama», a través de su esencial mudez, es un gesto típicamente moderno: un movimiento paradójico de salida y de negación de la literatura. Pero siempre, claro, dentro de una forma métrica tradicional. En vez de alegorizar este gesto «hacia fuera», Guillén nos lo ofrece tautológicamente como presencia pura. En las mejores décimas y los mejores poemas de *Aire nuestro* Guillén ni discurre, ni explica, pero sí pone en escena este abordar los límites del poema lírico esencial. En vez de un hablar-acerca-de, nos brinda la más pura «indicación» de «lo que hay» —de aquello que Hegel denominara «certitud sensible»—, lo *inefable* por excelencia. Ésta es la labor que Guillén se propuso realizar por primera vez en *Cántico*. He aquí por qué le fascina lo que llama «el misterio de la Encarnación». También aquí se encuentra el motivo de que, desde «Presencia del aire» hasta «El aire», haya adoptado Guillén el papel de carcelero de lo que Ortega llamó «el hermano aire». Atravesando todo su temario encontramos en Guillén el reiterado deseo de apresar lo invisible, de hacer constar

[21] Jacques Derrida, *Posiciones*, traducción castellana de M. Sáinz, Valencia, Pre-textos, 1977, pág. 39.
[22] Félix Martínez Bonati, *La estructura de la obra literaria*, Barcelona, Seix y Barral, 1972, pág. 178.

aquel segmento del tránsito que es el de la misma aparición de las cosas. Pero en vez de hacer hincapié en la *lucha* por aparecer, lo normal es que Guillén celebre las cosas una vez que están a salvo, cuando «*ya*» campean por la visibilidad. Todo esto está perfectamente ilustrado en la extraordinaria décima, «En plenitud».

Ahora bien, en la praxis poética de Guillén queda una paradoja sin resolver. Dada la importancia del hombre (de su estar-ahí) en la salvación de las cosas, ¿por qué al hombre (al poeta) se le otorga un papel tan claramente auxiliar? ¿Por qué, en la axiología guilleniana, no se le reconoce su servicio imprescindible de punto de apoyo de la visibilidad? ¿Por qué no se le concede ni el estatuto de primogénito? Cuando es evidente para el lector que su rol en el hacerse visible de las cosas —su lúcido «humanar» las cosas— es nada menos que una suerte de temporalización del mismo Ser. Incomprensiblemente, Guillén sólo se permite el lujo de reconocer la suma importancia de este «visibilizar» cuando se le presenta disfrazado de «gracia» o de «don» otorgado, regalado, —paradójicamente— por el mismo Ser visibilizado. De suerte que un poema como «Mientras el aire es nuestro» —que citamos a continuación— contiene como haz y envés toda la poética de Guillén, la explícita y la no menos importante por implícita y callada. Para decirlo de otra forma: contiene, por una parte, la intuición «feuerbachiana» —sustento de su mejor poesía— de una conexión (*unidad,* que no «relación») *ab initio* con «lo que hay»; por otra, su inexplicable y enternecedora dependencia de aerotropo, de *natura naturata:*

> Respiro,
> y el aire en mis pulmones
> ya es saber, ya es amor, ya es alegría,
> Alegría entrañada
> Que no se me revela
> Sino como un apego
> Jamás interrumpido
> —De tan elemental—
> A la gran sucesión de los instantes
> En que voy respirando,

42

Abrazándome a un poco
De la aireada claridad enorme.

Vivir, vivir, raptar —de vida a ritmo—
Todo este mundo que me exhibe el aire,
Ese —Dios sabe cómo— preexistente
Más allá
Que a la meseta de los tiempos alza
Sus dones para mí porque respiro,
Respiro instante a instante,
En contacto acertado
Con esa realidad que me sostiene,
Me encumbra,
Y a través de estupendos equilibrios
Me supera, me asombra, se me impone.

(AN, 13)

Nota a esta edición

El antólogo ha tenido a bien colocar primero su ensayo de comprensión de la poesía, antes de que el/la lector/a comience la lectura de los poemas. Anteponemos, sin embargo, a nuestra selección —reitero, *nuestra* selección— un poema del autor, «Vida extrema», a guisa de réplica y auto-explicación. Lo valiente no quita lo cortés. Como datos de interés académico agregamos, a continuación, una breve cronología de la vida, estudios y andanzas del poeta, y una bibliografía selecta. Para materia bibliográfica de mayor envergadura, pueden consultarse los estudios de Debicki y de Macrí. Nuestra selección se ha hecho sobre la primera edición de *Aire nuestro* (Milán, All'Insegna de Pesce d'Oro, 1968) e *Y otros poemas* (Buenos Aires, Muchnik Editores, 1973) —esta última corregida por mano del poeta.

Biografía

VIDA EXTREMA

I

Hay mucha luz. La tarde está suspensa
Del hombre y su posible compañía.
Muy claro el transeúnte siente, piensa
Cómo a su amor la tarde se confía.

... Y pasa un hombre más. A solas nunca,
Atentamente mira, va despacio.
No ha de quedar aquella tarde trunca.
Para el atento erige su palacio.

¿Todo visto? La tarde aún regala
Su variación: inmensidad de gota.
Tiembla siempre otro fondo en esa cala
Que el buzo más diario nunca agota.

¡Inextinguible vida! Y el atento
Sin cesar adentrándose quisiera,
Mientras le envuelve tanto movimiento,
Consumar bien su tarde verdadera.

¡Ay! Tiempo henchido de presente pasa,
Quedará atrás. La calle es fugitiva
Como el tiempo: futura tabla rasa.
¿Irá pasando todo a la deriva?

II

Humilde el transeúnte. Le rodea
La actualidad, humilde en su acomodo.
¡Cuántas verdades! Sea la tarea.
Si del todo vivir, decir del todo.

Una metamorfosis necesita
Lo tan vivido pero no acabado,
Que está exigiendo la suprema cita:
Encarnación en su perenne estado.

¡Sea el decir! No es sólo el pensamiento
Quien no se aviene a errar como un esbozo.
Quiere ser más el ser que bajo el viento
De una tarde apuró su pena o gozo.

¿Terminó aquella acción? No está completa.
Pensada y contemplada fue. No basta.
Más ímpetu en la acción se da y concreta:
Forma de plenitud precisa y casta.

Forma como una fuerza en su apogeo,
En el fulgor de su dominio justo.
El final es —ni hermoso ya ni feo.
Por sí se cumple, más allá del gusto.

Atraído el vigía. Ved: se expresa.
¿Cómo no ha de encontrar aquella altura
Donde se yergue un alma en carne presa
Cuando el afán entero al sol madura?

Ámbito de meseta. La palabra
Difunde su virtud reveladora.
Clave no habrá mejor que hasta nos abra
La oscuridad que ni su dueño explora.

Disputas, vocerío con descaro,
Muchedumbre arrojada por la esquina.
Lo oscuro se dirige hacia lo claro.
¿Quién tu sentido, Globo, te adivina?

Revelación de la palabra: cante,
Remóntese, defina su concierto,
Palpite lo más hondo en lo sonante,
Su esencia alumbre lo ya nunca muerto.

Más vida imponga así la vida viva
Para siempre, vivaz hasta su extrema
Concentración, incorruptible arriba
Donde un coro entre lumbres no se quema.

Llegó a su fin el ciclo de aquel hecho,
Que en sus correspondencias se depura,
Despejadas y limpias a despecho
De sus colores, juntos en blancura.

¡Alma fuera del alma! Fuera, libre
De su neblina está como una cosa
Que tiende un espesor en su calibre
Material: con la mano se desposa.

Trascendido el sentir. Es un objeto.
Sin perder su candor, ante la vista
Pública permanece, todo prieto
De un destino visible por su arista.

El orbe a su misterio no domeña.
Allí está inexpugnable y fabuloso,
Pero allí resplandece. ¡Cuánta seña
De rayo nos envía a nuestro foso!

El tiempo fugitivo no se escapa.
Se colmó una conducta. Paz: es obra.
El mar aquel, no un plano azul de mapa,
¡Cuánto oleaje en nuestra voz recobra!

Y es otro mar, es otra espuma nueva
Con un temblor ahora descubierto
Que arrebata al espíritu y le lleva
Por alta mar sin rumbo a fácil puerto.

Y la voz va inventando sus verdades,
Última realidad. ¿No hay parecido
De rasgos? Oh prudente: no te enfades
Si no asiste al desnudo su vestido.

Palmaria así, la hora se serena
Sin negar su ilusión o su amargura.
Ya no corre la sangre por la vena,
Pero el pulso en compás se trasfigura.

Ritmo de aliento, ritmo de vocablo,
Tan hondo es el poder que asciende y canta.
Porque de veras soy, de veras hablo:
El aire se armoniza en mi garganta.

¡Oh corazón ya música de idioma,
Oh mente iluminada que conduce
La primavera misma con su aroma
Virgen a su central cenit de cruce!

La brisa del follaje suena a espuma:
Rumor estremecido en movimiento
De oscilación por ondas. ¡Cuánta suma
Real aguarda el paso del atento!

La materia es ya magia sustantiva.
Inefable el secreto —con su estilo.
¿Lo tan informe duele? Sobreviva
Su fondo y sin dolor. ¡Palabra en vilo!

Palabra que se cierne a salvo y flota,
Por el aire palabra con volumen
Donde resurge, siempre albor, su nota
Mientras los años en su azar se sumen.

Todo hacia la palabra se condensa.
¡Cuánta energía fluye por tan leve
Cuerpo! Postrer acción, postrer defensa
De este existir que a persistir se atreve.

Aquellas siestas cálidas de estío
Lo son con sus fervores más intensos.
Se acumula más frío en ese frío
De canción que en los tácitos inviernos.

No finge la hermosura: multiplica
Nuestro caudal. No es un ornato el mundo
De nuestra sed: un vino está en barrica.
¿Es más de veras el brebaje inmundo?

Poesía forzosa. De repente,
Aquella realidad entonces santa,
A través de la tarde trasparente,
Nos desnuda su esencia. ¿Quién no canta?

He aquí. Late un ritmo. Se le escucha.
Ese comienzo en soledad pequeña
Ni quiere soledad ni aspira a lucha.
¡Ah! Con una atención probable sueña.

Atención nada más de buen amigo.
Nació ya, nacerá. ¡Infiel, la gloria!
Mejor el buen silencio que consigo
Resguarda los minutos sin historia.

Minutos en un tren, por alamedas,
Entre doctores no, sin duda en casa.
Allí, lector, donde entregarte puedas
A ese dios que a tu ánimo acompasa.

Entonces crearás otro universo
—Como si tú lo hubieras concebido—
Gracias a quien estuvo tan inmerso
Dentro de su quehacer más atrevido.

¿El hombre es ya su nombre? Que la obra
—Ella— se ahinque y dure todavía
Creciendo entre virajes de zozobra.
¡Con tanta luna en tránsito se alía!

Eso pide el gran Sí: tesón paciente
Que no se rinda nunca al No más serio.
Huelga la vanidad. Correctamente,
El atentado contra el cementerio.

—Se salvará mi luz en mi futuro.
Y si a nadie la muerte le perdona,
Mis términos me valgan de conjuro.
No morirá del todo la persona.

En la palpitación, en el acento
De esa cadencia para siempre dicha
Quedará sin morir mi terco intento
De siempre ser. Allí estará mi dicha.

III

Sí, perdure el destello soberano
A cuyo hervor la tarde fue más ancha.
Refulja siempre el haz de aquel verano.
Hubo un testigo del azul sin mancha.

El testigo va ahora bajo el cielo
Como si su hermosura le apuntase
—Con una irradiación que es ya un consuelo—
El inicial tesoro de una frase.

Colaborando la ciudad atiza
Todos sus fuegos y alza más ardores
Sobre el gris blanquecino de ceniza.
Chispean deslumbrados miradores.

Cal de pared. El día está pendiente
De una suerte que exalte su carrera.
¡Algo más, algo más! Y se presiente
Con mucha fe: será lo que no era.

Impulso hacia un final, ya pulso pleno,
Se muda en creación que nos confía
Su inagotable atmósfera de estreno.
Gracia de vida extrema, poesía.

Biografía breve

JORGE GUILLÉN nace en Valladolid, calle de Caldereros, número 18, enero 1893.

Padre: Julio Guillén Sáenz, Valladolid, 1867-1950.
Madre: Esperanza Álvarez Guerra, Valladolid, 1869-1923.
Hermano mayor de Julio (muere 1933), José Jesús y María. *Se casa* en París, 17 octubre 1921, con Germaine Cohen, 1897-1947. *Hijos:* Nacen Teresa, 1922, y Claudio, 1924, en París. *Vuelve a casarse,* ya viudo, 11 octubre 1961 en Bogotá, Colombia, con Irene Mochi Sismondi.

Escuela elemental y bachillerato en el Instituto de Valladolid; intervalo de dieciséis meses en Suiza (Friburgo), 1899-1911.

Facultad de Filosofía y Letras de la Universidad de Madrid; vive en la Residencia de Estudiantes, 1911-1913.

Traslado a Granada, en cuya Universidad se licencia en Letras, 1913.

Estancia en Alemania (Halle y Munich), 1913-1914.

Lector de español en la Sorbona; corresponsal del diario *La Libertad,* 1917-1923.

Doctor en Letras por la Universidad de Madrid; escribe su tesis sobre el *Polifemo* de Góngora, 1924.

Exámenes en Madrid para enseñanza de lengua y literatura española, 1925.

Catedrático de la misma en la Universidad de Murcia, 1926-1929.

Lector de español en la Universidad de Oxford, 1929-1931.

Catedrático de la Universidad de Sevilla, 1931-1938.

Encarcelado por razones políticas en Pamplona, 1938.

Profesor del Middlebury College (U.S.A.), 1938-1939.

Profesor en la Universidad de McGill de Montreal, 1939-1940.

Profesor del Wellesley College (U.S.A.), 1940-1957.

Muerte de Salinas, 1951.

Cátedra de poesía «Charles Eliot Norton» en la Universidad de Harvard, 1957-1958.

Catedrático jubilado, 1958.

Simposio en la Universidad de Oklahoma (Norman) organizado por el profesor Ivar Ivask, 1964.

Premios: de la Academia Americana de Artes y Letras, 1955; della Città di Firenze, 1957; de Poesía Etna-Taormina, 1959; Grand Prix International de Poésie de Bélgica, 1961; Premio San Luca di Firenze, 1964.

Simposio en la Universidad de Oklahoma (N.), organizado por el profesor Ivar Ivask, 1968.

Simposio en la Universidad de Wisconsin, organizado por la profesora B. Ciplijauskaitè, 1974.

Premio literario Bennett en Nueva York, 1976. Premio «Miguel de Cervantes» en Alcalá de Henares, 1977.

Bibliografía selecta

Obras de J. G. (poesía):

Cántico, Madrid, Revista de Occidente, 1928.
Cántico, Madrid, Cruz y Raya, Ediciones del Árbol, 1936.
Cántico (1936). Edición, prólogo y notas de J. M. Blecua, Barcelona, Labor, 1970.
Cántico. Fe de Vida, México, Litoral, 1945.
Cántico, primera edición completa, Buenos Aires, Editorial Sudamericana, 1950.
Clamor. Maremágnum, ibíd., 1957.
Clamor. ...Que van a dar en el mar, ibíd., 1960.
Clamor. A la altura de las circunstancias, ibíd., 1963.
Homenaje, Milán, All'Insegna del Pesce d'Oro, 1967.
Aire nuestro. Cántico. Clamor. Homenaje, ibíd., 1968.
Y otros poemas, Buenos Aires, Muchnik. Editores, 1973.

Obras de J. G. (prosa):

Luis de León, Fray, *Cantar de los Cantares,* edición y prólogo de J. G., Madrid, Signo, 1936.
Federico en persona. Semblanza y epistolario, Buenos Aires, Emecé, 1959.
El argumento de la obra, Milán, *All'Insegna del Pesce d'Oro,* 1961.
Lengua y poesía. Algunos casos españoles, Madrid, Revista de Occidente, 1962; Madrid, Alianza Editorial, 1969.

Libros dedicados a la obra de J. G.:

BLECUA, J. M., «En torno a Cántico», en *La poesía de J. G. (Dos ensayos)*, Zaragoza, Heraldo de Aragón, 1949.

CASALDUERO, JOAQUÍN, *«Cántico» de J. G. y «Aire nuestro»*, Madrid, Gredos, 1974.

DARMANGEAT, PIERRE, *J. G. ou le Cantique émerveillé*, París, Librerie des Éditions Espagnoles, 1958, en traducción española en *A. Machado, P. Salinas, J. G.*, Madrid, Ínsula, 1969.

DEBICKI, ANDREW P., *La poesía de J. G.*, Madrid, Gredos, 1973.

GIL DE BIEDMA, J., *Cántico: el mundo y la poesía de J. G.*, Barcelona, Seix Barral, 1960.

GONZÁLEZ MUELA, JOAQUÍN, *La realidad y J. G.*, Madrid, Ínsula, 1962.

GULLÓN, RICARDO y J. M. BLECUA, «La poesía de J. G.», *La poesía de J. G. (Dos ensayos)*, Zaragoza, Heraldo de Aragón, 1949.

Jorge Guillén. Edición de Birute Ciplijauskaitè, «El escritor y la crítica», Madrid, Taurus, 1975.

Luminous Reality. The Poetry of J. G., edición de I. Ivask y J. Marichal, Norman, University of Oklahoma Press, 1969.

MACRÍ, ORESTE, *La obra poética de J. G.* Barcelona, Ariel, 1976.

POLO DE BERNABÉ, JOSÉ MANUEL, *Conciencia y lenguaje en la obra de J. G.*, Madrid, Editora Nacioanl, 1978.

PRAT, IGNACIO, *«Aire nuestro» de J. G.*, Barcelona, Planeta, 1974.

Mientras el aire es nuestro
Antología

I: CÁNTICO

Fe de vida

Dedicatoria inicial

A MI MADRE,
EN SU CIELO

A ELLA,
QUE MI SER, MI VIVIR Y MI LENGUAJE
ME REGALÓ,
EL LENGUAJE QUE DICE
A H ORA
CON QUÉ VOLUNTAD PLACENTERA
CONSIENTO EN MI VIVIR,
CON QUÉ FIDELIDAD DE CRIATURA
H UMILDEMENTE ACORDE
ME SIENTO SER,
A ELLA,
QUE AFIRMÁNDOME YA EN AMOR
Y ADMIRACIÓN
DESCUBRIÓ MI DESTINO,
INVOCAN LAS PALABRAS DE ESTE CÁNTICO.

61

MÁS ALLÁ

(El alma vuelve al cuerpo,
Se dirige a los ojos
Y choca.) —¡Luz! Me invade
Todo mi ser. ¡Asombro!

Intacto aún, enorme,
Rodea el tiempo. Ruidos
Irrumpen. ¡Cómo saltan
Sobre los amarillos

Todavía no agudos
De un sol hecho ternura
De rayo alboreado
Para estancia difusa,

Mientras van presentándose
Todas las consistencias
Que al disponerse en cosas
Me limitan, me centran!

¿Hubo un caos? Muy lejos
De su origen, me brinda
Por entre hervor de luz
Frescura en chispas. ¡Día!

Una seguridad
Se extiende, cunde, manda.
El esplendor aploma
La insinuada mañana.

Y la mañana pesa,
Vibra sobre mis ojos,
Que volverán a ver
Lo extraordinario: todo.

Todo está concentrado
Por siglos de raíz
Dentro de este minuto.
Eterno y para mí.

Y sobre los instantes
Que pasan de continuo
Voy salvando el presente,
Eternidad en vilo.

Corre la sangre, corre
Con fatal avidez.
A ciegas acumulo
Destino: quiero ser.

Ser, nada más. Y basta.
Es la absoluta dicha.
¡Con la esencia en silencio
Tanto se identifica!

¡Al azar de las suertes
Únicas de un tropel
Surgir entre los siglos,
Alzarse con el ser,

Y a la fuerza fundirse
Con la sonoridad
Más tenaz: sí, sí, sí,
La palabra del mar!

Todo me comunica,
Vencedor, hecho mundo,
Su brío para ser
De veras real, en triunfo.

Soy, más, estoy. Respiro.
Lo profundo es el aire.
La realidad me inventa,
Soy su leyenda. ¡Salve!

II

No, no sueño. Vigor
De creación concluye
Su paraíso aquí:
Penumbra de costumbre.

Y este ser implacable
Que se me impone ahora
De nuevo —vaguedad
Resolviéndose en forma

De variación de almohada,
En blancura de lienzo,
En mano sobre embozo,
En el tendido cuerpo

Que aun recuerda los astros
Y gravita bien —este
Ser, avasallador
Universal, mantiene

También su plenitud
En lo desconocido:
Un más allá de veras
Misterioso, realísimo.

III

¡Más allá! Cerca a veces,
Muy cerca, familiar,
Alude a unos enigmas.
Corteses, ahí están.

Irreductibles, pero
Largos, anchos, profundos
Enigmas —en sus masas.
Yo los toco, los uso.

Hacia mi compañía
La habitación converge.
¡Qué de objetos! Nombrados,
Se allanan a la mente.

Enigmas son y aquí
Viven para mi ayuda,
Amables a través
De cuanto me circunda

Sin cesar con la móvil
Trabazón de unos vínculos
Que a cada instante acaban
De cerrar su equilibrio.

IV

El balcón, los cristales,
Unos libros, la mesa.
¿Nada más esto? Sí,
Maravillas concretas.

Material jubiloso
Convierte en superficie
Manifiesta a sus átomos
Tristes, siempre invisibles.

Y por un filo escueto,
O al amor de una curva
De asa, la energía
De plenitud actúa.

¡Energía o su gloria!
En mi dominio luce
Sin escándalo dentro
De lo tan real, hoy lunes.

Y ágil, humildemente,
La materia apercibe
Gracia de Aparición:
Eso es cal, esto es mimbre.

V

Por aquella pared,
Bajo un sol que derrama,
Dora y sombrea claros
Caldeados, la calma

Soleada varía.
Sonreído va el sol
Por la pared. ¡Gozosa
Materia en relación!

Y mientras, lo más alto
De un árbol —hoja a hoja
Soleándose, dándose,
Todo actual— me enamora.

Errante en el verdor
Un aroma presiento,
Que me regalará
Su calidad: lo ajeno,

Lo tan ajeno que es
Allá en sí mismo. Dádiva
De un mundo irremplazable:
Voy por él a mi alma.

VI

¡Oh perfección! Dependo
Del total más allá,
Dependo de las cosas.
Sin mí son y ya están

Proponiendo un volumen
Que ni soñó la mano,
Feliz de resolver
Una sorpresa en acto.

Dependo en alegría
De un cristal de balcón,
De ese lustre que ofrece
Lo ansiado a su raptor,

Y es de veras atmósfera
Diáfana de mañana,
Un alero, tejados,
Nubes allí, distancias.

Suena a orilla de abril
El gorjeo esparcido
Por entre los follajes
Frágiles. (Hay rocío.)

Pero el día al fin logra
Rotundidad humana
De edificio y refiere
Su fuerza a mi morada.

Así va concertando,
Trayendo lejanías,
Que al balcón por países
De tránsito deslizan.

Nunca separa el cielo.
Ese cielo de ahora
—Aire que yo respiro—
De planeta me colma.

¿Dónde extraviarse, dónde?
Mi centro es este punto:
Cualquiera. ¡Tan plenario
Siempre me aguarda el mundo!

Una tranquilidad
De afirmación constante
Guía a todos los seres,
Que entre tantos enlaces

Universales, presos
En la jornada eterna,
Bajo el sol quieren ser
Y a su querer se entregan

Fatalmente, dichosos
Con la tierra y el mar
De alzarse a lo infinito:
Un rayo de sol más.

Es la luz del primer
Vergel, y aún fulge aquí,
Ante mi faz, sobre esa
Flor, en ese jardín.

Y con empuje henchido
De afluencias amantes
Se ahinca en el sagrado
Presente perdurable

Toda la creación,
Que al despertarse un hombre
Lanza la soledad
A un tumulto de acordes.

LOS NOMBRES

Albor. El horizonte
Entreabre sus pestañas
Y empieza a ver. ¿Qué? Nombres.
Están sobre la pátina

De las cosas. La rosa
Se llama todavía
Hoy rosa, y la memoria
De su tránsito, prisa,

Prisa de vivir más.
A largo amor nos alce
Esa pujanza agraz
Del Instante, tan ágil

Que en llegando a su meta
Corre a imponer Después.
Alerta, alerta, alerta,
Yo seré, yo seré.

¿Y las rosas? Pestañas
Cerradas: horizonte
Final. ¿Acaso nada?
Pero quedan los nombres.

TIEMPO PERDIDO EN LA ORILLA

Se ofrece, se extiende,
Cunde en torno el día
Tangible. De nuevo
Me regala sillas.

No. Mejor a pie
Veré los colores
Del verano mío,
Que aún no me conoce.

Por de pronto, bajo
Mis manos vacías,
Un presentimiento
De azul se desliza.

Azul de otra infancia
Que tendrá unas nubes
Para perseguir
A muchos azules,

Posibles a veces
Dentro de una quinta
De amigos, muy cerca,
—¡También será mía!—

Con facilidades
Por arroyos, locos
De los regocijos
Que emergen de agosto,

Y sombras de dos
En dos, indistintas
Sobre las riberas
Que a un gris verde invitan.

Jugando a las horas
Que se juegan, entre
Todos los azares,
¿Qué amor no aparece?

Sálvame así, tiempo
Perdido en la orilla
Libre, tanto amor,
Tanto azar, las islas.

ESFERA TERRESTRE

¿Ni el raptor de las ondas
Ni el amoroso náufrago
Te aliviarán, mar sabio
Que entre curvas te combas?*

Incorruptibles curvas
Sobre el azul perfecto,
Que niega a los deseos
La aparición de espuma.

¡Forma del mediodía,
Qué universal! Las ondas
Refulgentes desdoblan
La luz en luz y brisa.

Y la brisa resbala
—Infante marinero,
Rumbo sí, mas no peso—
Entre un rigor de rayas

_____

* Como es frecuente también en la poesía temprana de Pedro
Salinas, alusiones a la mitología clásica: a Zeus, metamorfoseado
en toro y raptor de Europa, o bien a Ulises, náufrago, y a
Nausicaa. Una especie de «gongorismo» venido a menos.

Que al mediodía ciñen
De exactitud. ¡Desierta
Refulgencia! La esfera,
Tan abstracta, se aflige.

RELIEVES

Rendición: relieves.
¡Qué míos, qué puros
Todos! Uno a uno
Resaltan, ascienden.

Castillo en la cima,
Soto, raso, era,
Resol en la aldea,
Soledad, ermita.

En el río, niña,
Niña el agua verde,
Señorón el puente,
Y la aceña en ruinas.

La tarde caliza
Que fue polvareda
Se extrema, se entrega.
Diáfanas vistillas*.

¡Oh altura envolvente!
Rondan los vencejos
Sin cesar. ¡Oh cercos!
Posesión: relieves.

---

* *vistillas:* 'lugar alto desde el cual se descubre mucho terreno'.

EL MANANTIAL

Mirad bien ¡Ahora!
Blancuras en curva
Triunfalmente una
—Frescor hacia forma—

Guían su equilibrio
Por entre el tumulto
—Pródigo, futuro—
De un caos ya vivo.

El agua desnuda
Se desnuda más.
¡Más, más, más! Carnal,
Se ahonda, se apura.

¡Más, más! Por fin ¡viva!
Manantial, doncella:
Escorzo de piernas*,
Tornasol de guijas.

Y emerge —compacta
Del río que pudo
Ser, esbelto y curvo—
Toda la muchacha.

---

* *Escorzo... piernas:* difícil no recordar aquí los vv. 93-96 de
la Égloga Tercera de Garcilaso: «El agua clara con lascivo juego / nadando dividieron y cortaron, / hasta que el blanco pie
tocó mojado, / saliendo de la arena, el verde prado.»

NATURALEZA* VIVA

¡Tablero de la mesa
Que, tan exactamente
Raso nivel, mantiene
Resuelto en una idea

Su plano: puro, sabio,
Mental para los ojos
Mentales! Un aplomo,
Mientras, requiere al tacto,

Que palpa y reconoce
Cómo el plano gravita
Con pesadumbre rica
De leña, tronco, bosque

De nogal. ¡El nogal
Confiado a sus nudos
Y vetas, a su mucho
Tiempo de potestad

Reconcentrada en este
Vigor inmóvil, hecho
Materia de tablero
Siempre, siempre silvestre!

---

* *Naturaleza...*: juego de palabras: en español se llama *bodegón*
lo que en francés se llama *nature morte*.

TODO EN LA TARDE

I

¡Nubes! Anchas y bajas,
Ofrecidas, esbozan
A lo marino espuma
Con ambición de pompa,

Una pompa de blancos
Extinguidos en grises
Que quieren conseguir
Los contornos carmines.

Flota una esplendidez
Febril, profundizada
Por vistillas de tejas:
Tejas de turba cálida.

¡Ese atropello abajo!
El color viene y va,
Tropel regala, pide
Tropeles. Hay ciudad.

Locuaces, los anuncios
Atajan al gentío.
Escándalos benévolos
Cercan al distraído.

II

¿Y el silencio? No puede
Valer, estar a plomo.
¡Tantos colores chocan
Con un rumor tan bronco!

Gran rumor. Se embarullan
Las pisadas, los gritos
Que deben de ser diálogos,
Las músicas ya ruidos,

Y la velocidad
Disparada en portentos
Sumisos al amor,
Al candor, a los sueños,

Y el incesante arrastre
De los muchos trabajos
Que por dentro murmuran
Crujidos derrumbados.

¡Trepidación! Monótona,
Continua, propagada,
Precipita galopes
—Sin cuerpos ya— de máquinas

Invisibles, a ciegas
Calientes, animales,
Que no paran jamás:
Venas del tiempo, laten.

Discordes los impulsos
De un solo frenesí
Desembocan en una
Prisa por ser feliz.

Se asoma al panorama
La soledad de alguien.
Bocinas huyen. Queda
Lejos, grata, la calle.

Como si hubiera a solas
En el tumulto campo,
Follajes hay que salvan
Su paz entre sus pájaros.

Van poco a poco aislándose,
Dorándose las torres.
Atrevida una estrella
Luce a solas. ¿Entonces?

III

Entonces se ensordecen
Las sombras por los muros,
De su destino henchidos:
Muros en el crepúsculo.

Sólo al fin, en la tarde
Venida a un amarillo
Propenso ya a los rojos
Que adelantan estío,

Cristal no dejan ver
Los balcones al sol.
Láminas antes diáfanas
Acumulan fulgor,

Tan favorable así,
Tan rico de reflejos
Que inicia en los balcones
La actualidad del cielo,

Pleno. Revelación:
Una gloria prorrumpe,
Se revela en su coro.
Carmines cantan. ¡Nubes!

ALBORADA

Un claror, sonoro ya,
    Se dispara
Levantando los albores
    En bandadas.

Harto el desvelo, por fin,
    De mi alma,
Se abate sobre sus propias
    Almohadas.

Siento el mundo bajo el día,
    Que me embarga
Los párpados. Bien me esconden
    Las pestañas.

Ese piar renaciente
    De las ramas
Da a mi sueño su envoltura
    Buena, blanda.

Una luz de patrocinio
    Me resguarda
Duerma el que en su sol confía.
    ¡La alborada!

JARDÍN EN MEDIO

Para Emilio

claridad caliente y cincelada.
GABRIEL MIRÓ

Azoteas, torres, cúpulas
Aproximan los deseos
De las calles y las plazas
        A su cielo.

        Vacación.
Nubes, nubes de bureo,
        Libres, lentas,
Varían, vagan sin término.

Luminoso el redondel,
La ciudad confusa dentro,
Mayo sin prisa por Junio
Se abandona a su entretiempo.

        Buen desorden:
En el rumor un concierto
        Se insinúa
Silencioso. ¡Dulce estrépito!

Cercada por el bullicio,
De seguro no está lejos
De nadie la realidad
        De un portento.

¡Oh soleada clausura!
        Recoleto
Queda todo frente al sol,
        Bajo el viento.

Hora en limpio.
La fila de los abetos
Traza al fondo
Su horizonte verdinegro.

¿Un mirlo será quien pía?
El gorjeo
Surge de unas hojas tiernas
De revuelo.

Se preguntan, se responden
Ya dos fresnos.
Buches se adivinan fatuos,
Grosezuelos.

No faltan ni mariposas
Tendiendo sus aleteos
Al azar sobre las trémulas
Corolas de los reflejos.

Entre la luz y el olor
Pasa goloso el insecto
Con afán desordenado
Que se ahonda en embeleso.

Hasta margaritas hay
Distantes, allá en su reino,
Y algún botón amarillo,
Feliz de ser tan concreto.

Cabrillea un agua viva,
Rayo a rayo sonriendo.
La sombra sobre las márgenes
Se difunde como oreo.

¡Qué buen calor! Un ambiente
De secreto,
Banco, follaje, penumbra,
Sol inmenso.

¿Sobrará tanta belleza?
　　Yo la quiero.
Basta acaso que un ocioso
　　Goce, lento.

　　Paraíso:
Jardín, una paz sin dueño,
　　Y algún hombre
Con su minuto sereno.

Tanta comunicación
Sin descanso entre los juegos
Más remotos me regala
Mucho más de cuanto espero.

Ancho espacio libre, césped,
Olmo a solas en el centro,
Con ahínco poseído
　　Mi silencio.

Mas... ¿Otra vez? He ahí,
　　Recompuesto,
El discorde mundo en torno,
　　Tan ajeno.

　　Por el aire
Flotan, de un rumor suspensos,
　　Muchos cruces
De otras voces y otros genios.

Ventura, ventura mínima:
¿Quién te arrancará del hecho
Mismo de vivir? ¡Vivir
Aún y el morir tan cierto!

He ahí la realidad
Revuelta: fárrago acerbo.
¿Y el jardín? ¿Dónde un jardín?
　　—En el medio.

LAS HORAS

I

Arriba dura el sosiego.
Nada humano lo corrompe.
Eternamente refulgen
Las soledades mayores.

     Va la luna
Ganando noche a la noche.
     Y rendida
Luce una verdad muy joven.

Es la paz. No existen fuegos
Ni lámparas que interroguen.
La luna está serenando
     Su horizonte,

Y a ese filo de la luna
     Corresponde
Neto el perfil de la cumbre,
     Sola entonces.

Nadie lanza voz ni piedra
Que por los riscos rebote.
Intacto el silencio arriba
Dura sobre los rumores.

II

Abajo, no. La almohada
     Del insomne
Comunica a las tinieblas
     Su desorden.

Yace inquieto el desvelado
Junto al borde
Sombrío. ¿Qué realidad
Se le esconde?

Y las afueras fluctúan
Bajo los pocos faroles,
Que un viso de enigma arrojan
A los términos más pobres.

Tiembla el reloj sin paisaje.
¿Hacia dónde
Va una hora sin un mundo
Que la asombre?

El tiempo quiere lugar,
Rechaza la hondura informe,
No acierta a vivir sin fondo
Que enamore.

III

Brisa de sombra sensible
Va estremeciéndose al roce
De un alma en toda su espera.
Late el pulso al astro acorde.

¿Aislamiento?
Siempre queda alguna torre.
Una hora
Canta para todos. ¿Oyes?

Circula el tiempo entre agujas
De relojes.
Todo se salva en su círculo,
Todo es orbe.

El instante,
Pulsado, sonado sobre
Tantas cuerdas,
En susurro se recoge.

¿Qué hora será? Son amigas
Esas hogueras de monte.
¿Las dos, las tres? En redondo
Reposa lo oscuro enorme.

IV

La luna da claridad
Humana ya al horizonte,
Y la claridad reúne
Torres, sierras, nubarrones.

Se abandona el desvelado.
Firme el borde
Nocturno. La inmensidad
Es un bloque.

En torno velando el cielo
Atiende, ciñe a la noche.
De la raíz a la hoja
Se yergue velando el bosque.

Fiel, a oscuras
Va el mundo con el insomne.
El reloj
Da las cuatro. Firmes golpes.

Todo lo ciñe el sosiego.
Horas suenan. Son del hombre.
Las soledades humanas
Palpitan y se responden.

CERCO DEL PRESENTE

Cantan grillos. Cantan, quieren
    Durar sonando.
La noche quiere más cielo
    De su verano.

En un constante fluir
Se encauza y murmura, manso,
Un rumbo de oscuridad
Que se dirige hacia el canto.

Croan, perdidas, las ranas.
    Noche de charcos.
¿Tinieblas difusas? Unen
    Los grillos, ¡Tantos!

Mana tiempo del presente,
Susurro sin intervalo.
Lo que fue, lo que será
Laten, ahora inmediatos.

Actualidad infinita
    Dura creando.
Grillos sonantes. La noche
    Tornea campo.

CUNA, ROSAS, BALCÓN*

¿Rosas? Pero el alba.
...Y el recién nacido.
(¡Qué guardada el alma!)
Follajes ya: píos.

Muelle carne vaga,
Sueño en su espesura,
Cerrazón de calma,
Espera difusa.

Rosas —para el alba.
Pura sí, no alegre,
Se esboza la gracia.
¡Oh trémulas fuentes!

Creaciones, masa,
Desnudez, hoyuelos.
La facción exacta
Relega lo eterno.

¿Ya apuntan cerradas
Aún, sí, sonrisas?
...La aurora (¿Y el alba?)
¡Oh rosas henchidas!

---

* Versión anterior a ésta, publicada en *La Pluma*, 30 (1922),
página 347: «Villancico», «Carne rosa y alba / Del sagrado
Niño, / Con risas calladas / En hoyuelos lindos. // Rosas, pero
el alba, / Tan pura y alegre, / Álbea la gracia / En cuerpo
celeste. // Cual si iluminaran / Grosezuelas risas / A la luz del
alba / Una rosa viva».

MUCHAS GRACIAS, ADIÓS

I

De súbito ocurrió:
Yo empezaba a ser otro.
Atropelladamente
Feo, muy feo, torvo,

Algo se sublevaba
Contra ese poderío
Que al corazón y al mundo
Concierta en un latido.

¡Oh dolor! Siempre ajeno,
Suplantaba a mi voz,
Que en algún ¡ay! —herido,
Caído —se quebró.

Mientras, yo resistía
—Bajo mí mismo oculto—
Negándome al presente,
Contando por segundos

De error aquella torpe
Lentitud en pasar.
¿Qué hacer? Mis soledades
Se erguían contra el mal.

II

Poco a poco, sufriendo
Más realidad abrazo.
¿O es ella quien me estrecha,
Profundamente en acto?

Verdad es: hay suburbios,
Y atroces. Para mí
Son ya tan fabulosos
Que no los sé eludir.

¡Ay! Yo también comparto
Desiertos donde yacen
Muchedumbres de seres
Perdidos en su carne.

¿Confusión? Apretura
De vida indivisible.
No hay otra. ¡Dure, pues!
En su afán he de hundirme.

Siga, siga mi rumbo
Por la gran realidad.
¿Y no habré de elegir
Resistiendo y ganar?

III

Quiero mi ser, mi ser
Íntegro. Toda el alma
Se ilumina invocando
Las horas más cantadas.

Yo no soy mi dolor.
¿Mío? Nunca. No acoge
Mi poder. Anulado,
Me pierdo en el desorden.

—Padecer da saber.
—¿Y qué, si me arrebata,
Frente a las hermosuras
Divinas, toda el ansia?

Padecer, sumo escándalo.
¿No me envuelve en discordia
Bárbara con mi esencia,
Mi destino, mi norma?

Pase, pase el embrollo,
Vuelva la paz y déjeme
Resucitado ser
Dentro de mi presente.

IV

He sufrido. No importa.
Ni amargura ni queja.
Entre salud y amor
Gire y zumbe el planeta.

Desemboqué en lo alto.
Vida regala vida,
Ímpetu de ascensión.
Ventura es siempre cima.

Quien dice la verdad
Es el día sereno.
El aire trasparenta
Lo que mejor entiendo.

Suenan aquí las calles
A esparcido tesoro,
A júbilo de un Mayo
Que nos abraza a todos.

La luz, que nunca sufre,
Me guía bien. Dependo,
Humilde, fiel, desnudo,
De al tierra y el cielo.

EL OTOÑO: ISLA*

El otoño: isla
De perfil estricto,
Que pone en olvido
La onda indecisa.

¡Amor a la línea!
La vid se desnuda
De una vestidura
Demasiado rica.

Y una canastilla
De alegres racimos
Cela un equilibrio
De sueños en minas.

Estilo en la dicha,
Sapiencia en el pasmo,
Entre errante fausto
La rama sencilla.

¿Dulce algarabía?
Agudo el ramaje
Niega ya a las aves
Música escondida.

¡Oh claridad! Pía
Tanto entre las hojas
Que quieren ser todas
A un tiempo amarillas.

Trabazón de brisas
Entre cielo y álamo.
Y todo el espacio,
Tan continuo, vibra.

---

* *Isla:* Comenta J. M. Blecua (*Cántico* [1936], pág. 108):
«Procede de un poema extenso, publicado en *La Pluma,* 34 (marzo
de 1923), pág. 224...» Ese poema, «La hermosura de octubre»,
constaba de 20 cuartetos.

Esta luz antigua
De tarde feliz
No puede morir.
¡Ya es mía, ya es mía!

—Pronto, pronto, ensilla
Mi mejor caballo.
El camino es ancho
Para mi porfía.

TRÁNSITO

El mundo muy terso,
Rauda la tersura,
Olvidado el miedo,
La inminencia astuta.

Y a pesar del sol,
Girando, girando
Desapareció
Lo terso en lo raudo.

¿Tan fácil un fin
De veras final?
¡Oh nulo perfil,
Croquis* del azar!

Horror. Ningún astro
Mantuvo solemne
La espera del tránsito.
Astros: concededme

---

* *croquis:* 'dibujo ligero de un terreno, paisaje o posición
militar, que se hace a ojo, sin valerse de instrumentos geomé-
tricos'.

Final en sazón.
Sea el universo.
Pero que el adiós
Lo deje perfecto.

COMO EN LA NOCHE MORTAL

La luz va con la voz
Resolviéndose en fondo,
Cada noche más vivo,
De esta calle a las ocho.

Flota una algarabía
De esfuerzos. No se sienten
—Aunque están— las estrellas
Ignoradas, silvestres.

Un entrecruzamiento
De ruido iluminado
Compone una clausura
De creación a salvo.

¡Tumulto de invenciones!
Por sus escaparates
Las lunas* me despejan
Realidad ya en imagen.

Mujeres fugacísimas,
Ráfaga hacia el deseo,
Un ocio vagabundo...
¿Qué es lo que yo no quiero?

---

* *Escaparates... lunas:* sirven, como el cristal de la ventana,
y el espejo, para dar una imagen más nítida de la realidad.
Una especie de «anteojos de Claudio Lorenés».

¡Oh Dios, en esta hora
Tan perdida, tan ancha,
Vagar feliz, apenas
Distinto de la nada!

Una ciudad. Las ocho.
Yo, transeúnte: nadie.
Me ignora amablemente
La maraña admirable.

Tan oscuro me acepto
Que no es triste la idea
De «un día no seré».
Esta noche es aquélla.

Lucirá esta dulzura
De ciudad trabajada
Dentro de aquella noche,
Sombría en mis pestañas.

¡Avisos verdes, rojos!
Y se deslizarán
Los coches a través
Del tiempo y su verdad.

Atesorado encanto,
Surtidor de su noche.
Sin cesar, victoriosas,
Las luces y las voces.

PRESENCIA DEL AIRE

Esas nubes, el gris
Tan joven por su rumbo
Sin prisa de futuro,
La actualidad feliz

De aquel perfil, en boga
Tranquila hacia la mancha
Final, desparramada
Muy bien hasta la Gloria...

Este cristal, a fuer
De fiel, me trasparenta
La vida cual si fuera
Su ideal* a la vez.

¡Oh prodigio, virtud
De lo blanco en el aire!
Todo el aire en realce,
Desnudez de su luz.

Luz, evidencia arisca,
Aunque en tanta alianza
Con todo. ¡Ah! La nada
Y la luz aun se miran.

SALVACIÓN DE LA PRIMAVERA

I

Ajustada a la sola
Desnudez de tu cuerpo,
Entre el aire y la luz
Eres puro elemento.

¡Eres! Y tan desnuda,
Tan continua, tan simple
Que el mundo vuelve a ser
Fábula** irresistible.

---

* *ideal:* véase la nota de la pág. 92.
** *fábula:* actitud espiritual adecuada + luz-aire o cristal-espejo = mitología clásica. Compárece con el lema *Imagist* de Ezra Pound: «Make in New!»

En torno, forma a forma,
Los objetos diarios
Aparecen. Y son
Prodigios, y no mágicos.

Incorruptibles dichas,
Del sol indisolubles,
A través de un cristal
La evidencia difunde

Con todo el esplendor
Seguro en astro cierto.
Mira cómo esta hora
Marcha por esos cielos.

II

Mi atención, ampliada,
Columbra. Por tu carne
La atmósfera reúne
Términos. Hay paisaje.

Calmas en soledad
Que pide lejanía
Dulcemente a perderse
Muy lejos llegarían,

Ajenas a su propia
Ventura sin testigo,
Si ya tanto concierto
No convirtiese en íntimos

Esos blancos tan rubios
Que sobre su tersura
La mejor claridad
Primaveral sitúan.

Es tuyo el resplandor
De una tarde perpetua.
¡Qué cerrado equilibrio
Dorado, qué alameda!

III

Presa en tu exactitud,
Inmóvil regalándote,
A un poder te sometes,
Férvido, que me invade.

¡Amor! Ni tú ni yo,
Nosotros, y por él
Todas las maravillas
En que el ser llega a ser.

Se colma el apogeo
Máximo de la tierra.
Aquí está: la verdad
Se revela y nos crea.

¡Oh realidad, por fin
Real, en aparición!
¿Qué universo me nace
Sin velar a su dios?*

Pesa, pesa en mis brazos,
Alma, fiel a un volumen.
Dobla con abandono,
Alma, tu pesadumbre.

IV

Y los ojos prometen
Mientras la boca aguarda.
Favorables, sonríen.
¡Cómo intima, callada!

_____
* *a su dios:* véase la nota anterior.

96

Henos aquí. Tan próximos,
¡Qué oscura es nuestra voz!
La carne expresa más.
Somos nuestra expresión.

De una vez paraíso,
Con mi ansiedad completo.
La piel reveladora
Se tiende al embeleso.

Todo en un solo ardor
Se iguala. Simultáneos
Apremios me conducen
Por círculos de rapto.

Pero más, más ternura
Trae la caricia. Lentas,
Las manos se demoran,
Vuelven, también contemplan.

V

Sí, ternura. Vosotros,
Soberanos, dejadme
Participar del orden:
Dos gracias en contraste,

Valiendo, repartiéndose.
¿Sois la belleza o dos
Personales delicias?
¿Qué hacer, oh proporción?

Aunque... Brusco y secreto,
Un encanto es un orbe.
Obsesión repentina
Se centra, se recoge.

Y un capricho celeste
Cándidamente luce,
Improvisa una gloria,
Se va. Le cercan nubes.

Nubes por variación
De azares se insinúan,
Son, no son, sin cesar
Aparentes y en busca.

Si de pronto me ahoga,
Te ciega un horizonte
Parcial, tan inmediato
Que se nubla y se esconde,

La plenitud en punto
De la tan ofrecida
Naturaleza salva
Su comba de armonía.

Amar, amar, amar,
Ser más, ser más aún:
Amar en el amor,
Refulgir en la luz.

Una facilidad
De cielo nos escoge
Para lanzarnos hacia
Lo divino sin bordes.

Y acuden, se abalanzan
Clamando las respuestas.
Ya inminente el arrobo.
¡Durase la inminencia!

Afán, afán, afán
A favor de dulzura,
Dulzura que delira
Con delirio hacia furia,

Furia aún no, más afán,
Afán extraordinario,
Terrible, que sería
Feroz, atroz o... Pasmo.

¿Lo infinito? No. Cesa
La angustia insostenible.
Perfecto es el amor:
Se extasía en sus límites.

¡Límties! Y la paz
Va apartando los cuerpos.
Dos yacen, dos. Y ceden,
Se inclinan a dos sueños.

¿Irá cruzando el alma*
Por limbos sin estorbos?
Lejos no está. La sombra
Se serena en el rostro.

VI

El planeta invisible
Gira. Todo está en curva.
Oye ahora a la sangre.
Nos arrastra una altura.

Desde arriba, remotos,
Invulnerables, juntos,
A orillas de un silencio
Que es abajo murmullos,

Murmullos que en los fondos
Quedan bajo distancias
Unidas en acorde
Sumo de panorama,

Vemos cómo se funden
Con el aire y se ciernen
Y ahondan, confundidos,
Lo terno, lo presente.

---

* *el alma:* nueva perspectiva sobre el posible comportamiento
del alma antes de comenzar el poema «Más allá», pág. 62.

A oscuras, en reserva
Por espesor y nudo,
Todo está siendo cifra
Posible, todo es justo.

VII

Nadie sueña y la estancia
No resurge habitual.
¡Cuidado! Todavía
Sigue aquí la verdad.

Para siempre en nosotros
Perfección de un instante,
Nos exige sin tregua
Verdad inacabable.

¿Yo querré, yo? Querrá
Mi vida. ¡Tanto impulso
Que corre a mi destino
Desemboca en tu mundo!

Necesito sentir
Que eres bajo mis labios,
En el gozo de hoy,
Mañana necesario.

Nuestro mañana apenas
Futuro y siempre incógnito:
Un calor de misterio
Resguardado en tesoro.

VIII

Inexpugnable así
Dentro de la esperanza,
Sintiéndote alentar
En mi voz si me canta,

Me centro y me realizo
Tanto a fuerza de dicha
Que ella y yo por fin somos
Una misma energía,

La precipitación
Del ímpetu en su acto
Pleno, ya nada más
Tránsito enamorado,

Un ver hondo a través
De la fe y un latir
A ciegas y un velar
Fatalmente —por ti—

Para que en ese júbilo
De suprema altitud,
Allí donde no hay muerte,
Seas la vida tú.

IX

¡Tú, tú, tú, mi incesante
Primavera profunda,
Mi río de verdor
Agudo y aventura!

¡Tú, ventana a lo diáfano:
Desenlace de aurora,
Modelación del día:
Mediodía en su rosa,

Tranquilidad de lumbre:
Siesta del horizonte,
Lumbres en lucha y coro:
Poniente contra noche,

Constelación de campo,
Fabulosa, precisa,
Trémula hermosamente,
Universal y mía!

¡Tú más aún: tú como
Tú, sin palabras toda
Singular, desnudez
Única, tú, tú sola!

PASO A LA AURORA

I

Hay más alba, más alba en tanta lluvia.
Unánime fragor de creación: diluvia.
¡Agua de inmensidad!

                    Choca en el barro,
Derrumbamiento aún que ya inicia un galope,
El despilfarro
Celeste de algún Lope*.
¡Oh generosas nubes del impuro!
Chapotea en lo oscuro,
Galopando con su caballería,
Un caos que se forma
Su guía.
¿Caos en agresión no pide norma?

---

* *Lope:* Lope de Vega, claro está, por lo de «monstruo de la natualeza» (humor digno de los «Tréboles»). Pero seriedad también, porque el poema puede considerarse una alegorización de la escritura («Tan nuevo que nadie aún lo ha dicho.»).

Alba y lluvia se funden. Con informe,
Quizá penoso balbuceo
Tiende a ser claro el día.
Apura el creador. Querrá que se conforme
Su mundo a su deseo.
Todo, sí, rumoroso y prometido,
Se riza de recreo,
Todo puede ser nido.
...No más diluvio. Llueve.
El agua determina con placer su goteo
Límpido y breve.
A través de un aire más libre la luz se atreve.

Término en desnudez, y sorprendida: tierra.
Con el frescor se esparce
La novedad intacta de un origen,
Que todavía yerra
Por entre los murmullos de su propio destino.
Con tal lluvia en las hojas aquel arce
Siente mejor los cielos que le rigen,
Y presiente quizá de dónde vino
—Tan nocturno el subsuelo y tan remoto —
Aquella profusión de copa manifiesta.
El agua viva abraza.
No hay coto
Que se cierre al afán de más floresta,
Floresta alboreante con su traza
De casi perfección en su frescura
De recién prorrumpida criatura.

Este candor —aroma
De terrones mojados—
Conduce a una amplitud por donde asoma
La claridad, aún escalofrío
También.
Palpita apareciendo aquella loma,
Trémula con sus prados,
Con su más que rocío.
Madrugador, un tren
—Y violento— zumba por entre el caserío

De los aún callados.
Hasta lejos del río
Temblor hay de ribera.
Todo en su luz naciente se aligera.

Y prorrumpe de nuevo el gran enlace.
Cándidas, inmediatas, confiadas,
Aguardan las posadas
En que el sol goza y yace.
Convertido en promesa,
El albor se enamora,
Y de querer no cesa
Con ímpetu de aurora.
¿Un instante del iris? Luz ilesa.
¡Qué terroso el olor, qué humedad tan humana!
He aquí, fiel prodigio, la mañana.

II

¿Vuelve todo a surgir como en primera vez,
Este universo es primitivo?
Mejor: todo resurge en esbeltez
Para ser más. Aquel despliegue de ramaje
Con el retorcimiento varonil de un olivo,
El anónimo pájaro que avanza,
Mudo, sobre la hierba.
La esperanza está aquí. Otra vez la esperanza
Tras el desvelo sin paisaje
—O soñado quizá— de noche acerba.
Aquí, sobre la cima
Ya clara,
Estar es renacer.
Hasta en lo más oculto, bajo tierra, se anima
Su tentación —latente— de algazara:
A plena luz la calidad de ser.

Fluye la luz en ondas amarillas,
Y sobre el horizonte golfos, lagos
Entregan sus orillas

A una transformación en más capricho:
Oriente —sin tapices ni varillas
De magos.
Todo es nuevo. Tan nuevo que nadie aún lo ha dicho.
¡El sol! Y no deslumbra. Se remonta con lenta
Suavidad. ¡Ah, ninguno de existir se arrepienta!
Llegarán a su forma los materiales vagos.

El sol. Sobre las tierras, sobre las aguas, sobre
Los aires, ese fuego. Todo se le confía,
Nada quiere ser pobre.
¿Rosa, coral? Es realidad, es día.
Nadie columbra entonces —¡nubes!— la lejanía
Sin sentir otra vez que el suelo de la calle
No deja de ser valle,
A pesar de los hombres inminente.
Aquí están su posible silencio más sencillo,
La misma primavera
Con aquella primera
Gran ventura sin gente,
Aquí están su follaje, su pájaro, su grillo.
Todo se suma necesariamente:
La pared soleada y mi consuelo,
Ese cristal y el cielo.

Un cristal de ventana*
Se me ofrece y sujeta
La calle a la alegría de su diafanidad.
¡Oh ciudad bajo el sol, ciudad
Del sol, repleta
De gana!

¿La luz no es quien lo puso
Todo en su tentativa de armonía?
Este suelo de valle revelado es alfombra.
A los balcones sube, por la ciudad difuso,
Un runrún que va siendo rumor de compañía.
Extremo pacto:
El sol va a iluminar hasta la sombra.

---

* *ventana:* véase la nota de la pág. 92.

Chispas hay con rocío que permanece intacto.
Todo, por fin, se nombra.

Suprema perfección: ese andar de muchacha,
Aurora en acto,
Facilidad, felicidad sin tacha.

PRIMAVERA DELGADA

Cuando el espacio sin perfil resume
        Con una nube
Su vasta indecisión a la deriva
        —¿Dónde la orilla?—
Mientras el río con el rumbo en curva
        Se perpetúa
Buscando sesgo a sesgo, dibujante,
        Su desenlace,
Mientras el agua duramente verde
        Niega sus peces
Bajo el profundo equívoco reflejo
        De un aire trémulo...
Cuando conduce la mañana, lentas,
        Sus alamedas
Gracias a las estelas vibradoras
        Entre las frondas,
A favor del avance sinuoso
        Que pone en coro
La ondulación suavísima del cielo
        Sobre su viento
Con el curso tan ágil de las pompas,
        Que agudas bogan...
¡Primavera delgada entre los remos
        De los barqueros!

ADEMÁS

Júbilo al sol. ¿De quién? ¿De todos? Júbilo.

Un sonreír ya general apenas
De relumbre y penumbra se distingue.
Facilidad de acera matutina,
Deslizamiento de los carrüajes
Sin premura hacia un fondo de gran Mayo,
Supremo en la avenida tersamente
Dócil al resbalar de la mañana.
¿Por qué las calles tanto me embelesan
Si nada acciona como tentación
Por mi camino hermoso y cotidiano?
Penden tal vez más densos los follajes,
Olerá más al sol —recién cortada—
La hierba en los declives de un jardín.
¿O debo mi ventura al raudo ataque
—En una sola ráfaga de brisa
Como una embriaguez insostenible,
Si no es un solo instante— del aroma
Que hacia mi alma exhalan esos pinos?
¿O será nada más este calor,
Tan leve y ya tan abrazado al mundo?
Todo apunta hacia un ápice perfecto,
Y sin decir su perfección me colma
De la más clara fe primaveral.
¿Este suelo? Meseta* en que me pasmo
De tanta realidad inmerecida,
Ocasión de mi júbilo. Tan firme,
Tan entrañable, tan viril lo siento
Que se confunde con mi propia esencia.
Hoy me asomo feliz a la mañana

---

* *meseta:* la meseta castellana, emblema de patriarcado.

Porque la vida corre con la sangre,
Y se me imponen placenteramente
Mi fatal respirar y un sonreír
Sin causa, porque sí, porque es mi sino
Propender con fervor al universo
—Quien, réplica dichosa de los dados,
Responde con prodigios además.
De veras se dirige a mi fervor
Esa luz sonriente en la penumbra
Del pavimento, bajo los follajes,
Sonriente en los claros de los troncos
Y de las hojas más privilegiadas,
Entre el verdor cortés y su ciudad.

Todo es prodigio por añadidura.

MESA Y SOBREMESA

El sol aumenta
Su íntima influencia.
RUBÉN DARÍO

... energía de normalidad.
ALFONSO REYES

Luce sobre el mantel, más blanco ahora,
    El cristal —más desnudo.
Yo al amarillo ruboroso acudo.
    Para mí se colora.

Fruta final. Un rayo se recrea
    Dentro de nuestro juego,
Íntimo se perfila. Yo me entrego.
    ¡Color, perfil, idea!

En más placer la idea se nos muda,
        Y de amigo en amigo
Rebota hacia la dicha que persigo:
        Normalidad aguda.

¡Tanto verano generoso lanza
        Sus fuerzas al concierto
De este sabor total! Mi mundo es cierto.
        Casa con mi esperanza.

¡Oh diálogo ocurrente, de improviso
        Luz en la luz vacante,
Punto de irisación en el instante
        De gracia: Dios lo quiso!

A través de un cristal más sol nos llama.
        ¡Suprema compañía!
Tan solar es el vaso de alegría
        Que nos promete fama.

Humo hacia el sol. El aire se concreta:
        Jirón gris que yo esbozo.
Calladamente se insinúa el gozo
        De una gloria discreta.

El tiempo se disuelve en la delicia
        De un humo iluminado
Por ocio de amistad. ¿No es el dechado
        Que el más sutil codicia?

Se redondea el borde de la taza
        También para la mente.
Lúcida ante el café, se da al presente,
        Y a la verdad se abraza.

¡Posesión de la vida, qué dulzura
        Tan fuerte me encadena!
¿Adónde se remonta el alma plena
        De la tarde madura?

LA RENDICIÓN AL SUEÑO

Sienes soñolientas.
Un vaho.
Cabecea
Torpemente la suavidad.
Hombros soñolientos.
Un vaho lento, más lento, lento.
Intimidad visible
Va ciñéndose al cuerpo.
El sillón se enternece todavía,
Se ahonda.
Brazos, manos se rinden.
O serán ya los brazos del sillón ¡ah, suavísimo!
Suavidad del mundo:
Se inclina un oleaje hacia una arena.
Dunas
Con luces de perezas,
Enternecidas dunas se derraman,
Numerosas, difusas,
Generales, suavísimas.
¡Cuántas rayas!
Paralelas acaso por la pared,
Se rinden,
Ceden ya, se relajan.
Una pululación amable de Invisibles
En el vaho se espesa.
Sucesiones de suertes profundizan espacios.
Niebla.
¿Hay grises de altitudes?
Barajas, nubes,
Caos. ¿Caos de Dios? Caos.

Lo informe se define, busca su pesadumbre.
Atestada cabeza

Pesa.
Avanzan, se difunden
Espesores:
Robustez envolvente, noche sólida,
Apogeo de las cosas,
Que circundan, esperan, insisten, persuaden.
¡Oh dulce persuasión totalizadora!
Todo el cuerpo se sume,
Con dulzura se sume entre las cosas.
¿No ser? Estar, estar profundamente,
Más y más ignorante
De ser profundamente a oscuras
Raíz muy reservada a su paciencia
Más activa,
Raíz
Que va sumando
Su silencio creciente y su fortuna:
Tierra, tierra. ¡Perderse al fin!

¿Perderse?
Solo en su más recóndito retiro,
Entre los pliegues
Del olvido
Ya sin roce,
Reinando sobre inmóviles
Tinieblas de conquista,
Desciende el ser hasta una paz
Por todo su universo amurallada.
Se olvida
Robustamente el ser, descansa
Mientras a su universo
Consagrándose está.
En clausura, muy lejos
Se infunde, se refunde, se posa al fin remoto,
Intacto rostro.
¡Nuevo, nuevo!
Intimidad visible
—¡Oh pulsación, oh soplo!—
Resguarda todo el cuerpo.
¿Para quién, para quién tan lejos,

Pulsación confidente?
¿Hacia dónde,
Recatos veladores,
Hacia dónde se aleja
La mirada,
Tan retraída y plena?
¿Hacia la seña
Clara
De otra verdad?

UNA VENTANA

El cielo sueña nubes para el mundo real
Con elemento amante de la luz y el espacio.
Se desparraman hoy dunas de un arrecife,
Arenales con ondas marinas que son nieves.
Tantos cruces de azar, por ornato caprichos,
Están ahí de bulto con una irresistible
Realidad sonriente. Yo resido en las márgenes
De una profundidad de trasparencia en bloque.
El aire está ciñendo, mostrando, realzando
Las hojas en la rama, las ramas en el tronco,
Los muros, los aleros, las esquinas, los postes:
Serenidad en evidencia de la tarde,
Que exige una visión tranquila de ventana.
Se acoge el pormenor a todo su contorno:
Guijarros, esa valla, más lejos un alambre.
Cada minuto acierta con su propia aureola,
¿O es la figuración que sueña este cristal?
Soy como mi ventana*. Me maravilla el aire.
¡Hermosura tan límpida ya de tan entendida,
Entre el sol y la mente! Hay palabras muy tersas,
Y yo quiero saber como el aire de Junio.

_____

* *soy como mi ventana:* nada de interioridades; Guillén da a
leer (literalmente) sus ojos.

La inquietud de algún álamo forma brisa visible,
En círculo de paz se me cierra la tarde,
Y un cielo bien alzado se ajusta a mi horizonte.

TIEMPO LIBRE

¿Apartamiento? Campo recogido
Me salve frente a frente
De todo.

Jardín, no. Sin embargo,
Una atención de experto
Vigila,
Favorece esta pródiga ocurrencia.
¿Artificio de fondo?
Delicia declarada.
El césped
Nos responde a los ojos y a los pies
Con la dulzura de lo trabajado.

Yo. Solo.
¿Será posible aquí
—Centro ya fatalmente—
Una divagación, y solitaria?
Todo conmigo está
Aunque no me columbre nadie ahora
Con sus ojos de insecto,
Su arruga de corteza,
Su ondulación de sol.

Siempre, siempre en un centro —que no sabe
De mí.
Seguro de alentar entre existencias
Con presión de calor tan evidentes,
Heme aquí solidario
Del día tan repleto,

Sin un solo intersticio
Por donde se deslice
La abstracción elegante de una duda.

Duden con elegancia los más sabios.
Yo, no. ¡Yo sé muy poco!
Por el mundo asistido,
Me sé, me siento a mí sobre esta hierba
Tan solícitamente dirigida.
¡Jornalero real!
También de mi jornada jornalero,
Voy pisando evidencias,
Verdores.

Esos verdores trémulos clarean
Plateándose, fúlgidos
Bajo el sol, hacia el sol allí pendiente:
El álamo es más álamo.
De pronto
Se oscurece el rincón, las hojas pálidas.
Y el álamo despunta
Más juvenil aún:
Su delgadez se afila.

Vigor, y de verdores.
Bajo la mano quedan.
Hojas hay muy lucientes
Y oscuras.
¡Rododendros en flor!
Extendidos los pétalos,
Ofreciéndose al aire los estambres,
Muy juntos en redondo,
La flor es sin cesar placer de amigo.

En las tan entregadas
Corolas
Se zambullen avispas, abejorros,
Y con todo el grosor
Menudo de su cuerpo
—Venid—

Pesadamente sobre los estambres
Gravitan
Durante unos segundos exquisitos.

¡Oh danza paralela al horizonte!
Velocísima, brusca,
Se estremece ondulándose
La longitudinal
Libélula
Del atolondramiento*
Y un instante se posa entre sus alas
De rigor tan mecánico,
Y aturdiéndose irrumpe.

Así volante no verá esos grupos
De un amarillo altivo
Que avivan
Los rojos de su centro
Floral.
¡Cómo los quiere el aire soleado!
Aire que ignora entonces
Tanta flor diminuta
Recatada por hierbas.

Hierbas y hierbas. Con su hacinamiento
Me designan el soto:
Gran profusión en húmeda penumbra
De más calor, inmóvil.
¡Imperio del estío! —No absoluto:
Un agua.
Alguien quizá asustado brinca. Golpe
De repente y su estela. Son concéntricos
Círculos. ¿Una rana? Con su incógnita.

Estanque.
Vuelan, si no patinan,
—¿Buscando, ya jugando?—
Versátiles mosquitos presurosos.

---

* *La longitudinal... atolondramiento:* versos que «significan»
escritura.

Mosquitos: realidad también. ¡Qué extensa!
Poseo —no soñando— su hermosura,
Su plenitud de julio.
(¡Oh calidad real,
Oh sumo privilegio
Que adoro!) Centellean pececillos
De una estúpida calma,
O agitándose en quiebros
Con sus ángulos súbitos
Que enfoca el sol: un haz
Dirigido a esta cima,
Este claro del agua, temblorosa
De múltiple reflejo
Sobre el zigzag del pez.
Onda, reflejo, variación de fuga:
Agua con inquietud
De realidad en cruces.
Veo bien, no hay fantasmas,
No hay tarde vaporosa para fauno*,
Acción de transparencia me confía
Su vívido volumen. ¡Cómo atrae!
Ya la mirada se demora, yerra
Por una superficie que me expone
Con humildad la más sencilla hondura.
¿No hay nada? Nada apenas. ¿Un espejo?
Sobre el estanque y su candor me inclino.
¿Y si tal vez apareciese un rostro,
Una idea de rostro sobre el agua,
Y ante mí yo viviese, doble a gusto?
El estanque, novel pintor, vacila.
¿Alguién está naciendo, peleando?
Comienza a estremecérseme un testigo,
Dentro aún de mi propia soledad.
¿O es otro** quien pretende así, tan torpe,
Desafiar mi vista y mi palabra
Desde fuera de mí, que le contengo?

---

* *fauno:* alusión al fauno de «L'après-midi d'un faune» de
S. Mallarmé. La «ninfa» que se entrega, «vívido volumen», es
un espacio en blanco.
** *otro:* de fauno el hablante pasa a ser Narciso, mejor dicho,

Tiéndase, pues, visible entre las cosas.
¡Ah, que este sol concrete una apariencia!
Agua-espejo: ¿lo eres? Heme aquí.
Yo.
   ¿Por fin?
        Yo.
            ¿Ahora?
                Turbio espejo…
El agua no me quiere, se rebela,
Trivial, contra el semblante que le brinda
La conjunción de un hombre con la luz.
Entonces… ¡Bah! No importa. Mi capricho
No turbará —¡mejor!— las inocencias
Sabias, muy sabias de ese plano trémulo.
¡Contemplación risible de sí mismo,
Deleitarse —quizá morosamente—
O hablar en alta voz a la figura
Que yo sería con sustancia ajena!
Imposible careo sin sonrojo.
Feliz o no, ¡qué importa mi conato
De fantasma! ¿Fantasma? No consigue
Remontarse a tan leve ministerio.
¡Ay! Ya sé que ese esbozo sin final
Temblando con las ondas me diría:
Quiéreme. —¡No! Así yo no me acepto.
Yo soy, soy… ¿Cómo? Donde estoy: contigo,
Mundo, contigo. Sea tu absoluta
Compañía siempre.
           ¿Yo soy?
               Yo estoy
—Aquí, mi bosque cierto, desenlace
De realidad crujiente en las afueras
De este yo que a sí mismo se descubre
Cuando bien os descubre: mi horizonte,
Mis fresnos de corteza gris y blanca,
A veces con tachones de negrura.
Yo, yo soy el espejo que refleja,

---

anti-Narciso; véanse, más adelante, los poemas sobre el tema en
Homenaje.

Vivaces, los matices en mi fondo,
También pintura mía. Rico estoy
De tanta Creación atesorada.
Profundamente así me soy, me sé
Gracias a ti, que existes.
Me predispone todo sobre el prado
Para absorber la tarde.
¡Adentro en la espesura!
Como una vocación que se decide
Bajo esa estrella al propio ser más íntima,
Mi destino es salir.
Yo salgo hacia la tarde
Que muy dentro me guarda,
Dentro de su verdad resplandeciente,
De este calor de siesta,
De este prieto refugio,
Más remoto en su pliegue de frescura,
—Hayas, hojas de cobre
Por alguien esculpidas—
Frente a ese surtidor que nunca cesa
De ascender y caer en un murmullo
Batido por espumas,
Por chispas.
¡Cómo brillando saltan y sonando
—A merced de ese viento que es un iris—
Para todas las ondas del estanque!

Soy yo el espejo. Vamos.
Reflejar es amar.
Y un amor se levanta en vuestra imagen
¡Oh pinos! con aroma
Que se enternece despertando restos
De mi niñez interna.
Allá, bajo el verdor inmarcesible,
Una tierra mullida por agujas.
¡Pinar!

La realidad alcanza
Su más claro apogeo, su hermosura.
Floresta. Surge hermosa, femenina

La aparición: escorzo que hacia mí
Promete,
Bajo una luz común, iluminarse,
Esclarecer su mocedad. Sí, sola,
Y por el campo en julio,
Por la vasta alegría, por el ocio.

Despacio,
Con el ligero empaque
Digno de la belleza,
Con la desenvoltura
Que atina,
¿Y ya próxima a mí?
Distante en reservada actualidad,
En su nimbo de sol embelesado,
Pisa el césped, se aleja.

¡Qué certidumbre de potencia cálida,
De forma en henchimiento,
En planta y prontitud!
La piel con su color de día largo,
El cabello hasta el hombro.
¿Para qué modelada
Durante el fortuito
Minuto
De visión? —Te querría.

La muchacha se aleja, se me pierde.
Profunda entre los árboles
Del soto,
Se sume en el terreno,
Bellísimo.
¡Cuánto lazo y enlace
Con toda la floresta, fiel nivel
De esa culminación
Regente!

Asciende mi ladera
Sin alterar su acopio de silencio.

Llamándome
Se ahonda el vallecillo.
Susurro.
En una rinconada de peñascos,
De la roca entre líquenes y helechos
Rezuma
Con timidez un agua aparecida.

Es un surgir suavísimo de orígenes,
Que sin pausa preserva
La mansedumbre del comienzo puro:
Antes, ahora, siempre
Nacer, nacer, nacer.
Una evaporación de gracias ágiles
Domina.
Más frescor se presiente, y en su joya.
Fatal: otra doncella.

¿De un estío no rubio? Pero erguida,
Sin querer invadiendo y no benévola,
Toda ajustada al aire que la ciñe,
Toda, toda esperando
La fábula que anuncia.
¿Pasó? Pasó. Contigo
Mi júbilo, mi fe.
Me invade la delicia
De ti.

Anchura de la Tierra en variedad:
Respondo
Con amor a tus dádivas
Posibles.
He aquí más... Y cantos sobre arena.
También el arroyuelo,
Que se dispone a ser, ya me cautiva.
Y tú, chiquito y bronco. ¡Te saludo,
Oh pájaro discorde!

Libre será mi tiempo
De veras derramándose entre muchos,

Escalas hacia todos.
Soy vuestro aficionado, criaturas.
Aficionado errante,
¡Ay! que me perdería
Si tú no me salvaras,
Gloriosa,
Tensión providencial de sumo abrazo.

Yo te veo presente en la floresta
Por donde
Tú continua, sin forma aquí, refulges.
El tiempo libre se acumula en cauce
Pleno: tú, mi destino.
Me acumulo en mi ser,
Logro mi realidad
Por mediación de ti, que me sitúas
La floresta y su dicha ante mi dicha.

¡Cuánto impulso estival!
El cielo, que es humano, palidece.
El aire no, no deja por la fronda
De sonar como espíritu,
De ejercer su virtud
—Nunca invisible— de metamorfosis.
Frágil y en conmoción,
¡Cuánto equilibrio al fin —y deshaciéndose—
Que gana!

Hojas menudas. ¿Roble?
Fino el árbol fornido.
Retorciendo el ramaje desparrama
Su paz.
Murmullos de arboledas y aguas vivas
Se funden en rumor que va salvando,
Sosteniendo silencios.
Paz de tierras, de hierbas, de cortezas
Para el tiempo, ya libre.

Andando
Voy por entre follajes,
Por su sombra en sosiego sin mi sombra.

121

ANILLO

I

Ya es secreto el calor, ya es un retiro
De gozosa penumbra compartida.
Ondea la penumbra. No hay suspiro
Flotante. Lo mejor soñado es vida.

Profunda tarde interna en el secreto
De una estancia que no se sabe dónde
—Tesoro igual con su esplendor completo—
Entre los rayos de la luz se esconde.

El vaivén de un silencio luminoso
Frunce entre las persianas una fibra
Palpitante. Querencia del reposo:
Una ilusión en el polvillo vibra.

Desde la sombra inmóvil la almohada
Brinda a los dos felices el verano
De una blancura tan afortunada
Que se convierte en sumo acorde humano.

Como una brisa orea la blancura.
Playa se tiende, playa se abandona.
Un afán más umbrío se aventura
Vagando por la playa y la persona.

Los dos felices, en las soledades
Del propio clima salvo del invierno,
Buscan en claroscuros sin edades
La refulgencia de un estío eterno.

Hay tanta plenitud en esta hora,
Tranquila entre las palmas de algún hado,
Que el curso del instante se demora
Lentísimo, cortés, enamorado.

Honda acumulación está por dentro
Levantando el nivel de una meseta,
Donde el presente ocupa y fija el centro
De tanta inmensidad así concreta.

Esa inquietud de sol por la tarima,
—Sol con ese zumbido de la calle
Que sitiando al silencio lo reanima —
Esa ansiedad en torno al mismo talle,

Y de repente espacio libre, sierra.
A la merced de un viento que embriaga,
El viento más fragante que destierra
Todo vestigio de la historia aciaga,

¿Dónde están, cuándo ocurren? No hay historia.
Hubo un ardor que es este ardor. Un día
Solo, profundizado en la memoria,
A su eterno presente se confía.

II

Aunque el deseo precipita un culto
Que es un tropel absorto, da un rodeo
Y en reverencia cambia su tumulto,
Sin cesar renaciente del deseo.

Sobre su cima la hermosura espera,
Y entregándose toda se recata
Lejos —¿cómo ideal y verdadera?—
Tan improbable aún y ya inmediata.

¡Es tan central así, tan absoluta
La Tierra bien sumida en universo,
Sin cesar tan creado! ¡Cuánta fruta
De una sazón en su contorno terso!

El amor está ahí, fiel Infinito
—No es posible el final— sobre el minuto
Lanzando de una vez, aerolito
Súbito, la agresión de lo absoluto.

¡Oh súbita dulzura! No hay sorpresa,
Tan soñado responde el gran contento.
Y por la carne acude el alma y cesa
La soledad del mundo en su lamento.

III

Gozo de gozos: el alma en la piel,
Ante los dos el jardín inmortal,
El paraíso que es ella con él,
Óptimo el árbol sin sombra de mal.

Luz nada más. He ahí los amantes.
Una armonía de montes y ríos,
Amaneciendo en lejanos levantes,
Vuelve inocentes los dos albedríos.

¿Dónde estará la apariencia sabida?
¿Quién es quien surge? Salud, inmediato
Siempre, palpable misterio: presida
Forma tan clara a un candor de arrebato.

¿Es la hermosura quien tanto arrebata,
O en la terrible alegría se anega
Todo el impulso estival? (¡Oh beata
Furia del mar, esa ola no es ciega!)

Aun retozando se afanan las bocas,
Inexorables a fuerza de ruego.
(Risas de Junio, por entre unas rocas,
Turban el límpido azul con su juego.)

¿Yace en los brazos un ansia agresiva?
Calladamente resiste el acorde.
(¡Cuánto silencio de mar allá arriba!
Nunca hay fragor que el cantil no me asorde.)

Y se encarnizan los dos violentos
En la ternura que los encadena.
(El regocijo de los elementos
Torna y retorna a la última arena.)

Ya las rodillas, humildes aposta,
Saben de un sol que al espíritu asalta.
(El horizonte en alturas de costa
Llega a la sal de una brisa más alta.)

¡Felicidad! El alud* de un favor
Corre hasta el pie, que retuerce su celo.
(Cruje el azul. Sinuoso calor
Va alabeando la curva del cielo.)

Gozo de ser: el amante se pasma.
¡Oh derrochado presente inaudito,
Oh realidad en raudal sin fantasma!
Todo es potencia de atónito grito.

Alrededor se consuma el verano.
Es un anillo la tarde amarilla.
Sin una nube desciende el cercano
Cielo a este ardor. Sobrehumana, la arcilla.

IV

¡Gloria de dos! —sin que la dicha estorbe
Su repliegue hacia el resto de lo oscuro.
En torno de la almohada ronda el orbe,
Vive la flor sobre el papel del muro.

---

* *alud:* 'masa considerable de nieve que se desprende de los
montes y cae estrepitosamente'; evidente hipérbole. Palabra cu-
riosamente frecuente en los poemas.

Un cansancio común se comunica
Por el tendido cuerpo con el alma,
Que se tiende también a solas rica,
Ya en posesión de aquella doble calma.

¡Es un reposo de tan dulce peso,
Que con tanta molicie cae, cede,
Se hunde, profundiza el embeleso
De dos destinos en la misma sede!

Hombres hay que destrozan en barullo
Tristísimo su voz y sus entrañas.
Sin embargo, ¿no escuchas el arrullo
Reparador del aire entre las cañas?

¡El aire! Vendaval o viento o brisa,
Resonando o callando, siempre existe
Su santa desnudez. ¿No la divisa
Con los ojos de un dios hasta el más triste?

V

Y se sumerge todo el ser, tranquilo
Con vigor, en la paz del universo,
La enorme paz que da a la guerra asilo,
Todo en más vasta pleamar inmerso.

Irresistible creación redonda
Se esparce universal como una gana,
Como una simpatía de onda en onda
Que se levanta en esperanza humana.

Arroyo claro sobre peña y guijo:
¿Para morir no quieres detenerte?
Amor en creación, en flor, en hijo:
¿Adónde vas sin miedo de la muerte?

Hermoso tanto espacio ante la cumbre,
Amor es siempre vida, sólo vida.
No hay mirada amorosa que no alumbre
Su eternidad. Allí secreta anida.

¡Oh presente sin fin, ahora eterno
Con frescura continua de rocío,
Y sin saber del mal ni del invierno,
Absoluto en su cámara de estío!

Increíble absoluto en esa mina
Que halla el amor —buscándose a lo largo
De un tiempo en marcha siempre hacia su ruina—
A la cabeza del vivir amargo.

Tanto presente, de verdad, no pasa.
Feliz el río, que pasando queda.
¡Oh tiempo afortunado! Ved su casa.
Este amor es fortuna* ya sin rueda.

Bien ocultos por voces y por gestos,
Ágiles a pesar de tanto lazo,
Viven los dos gozosamente opuestos
Entre las celosías de su abrazo.

En la penumbra el rayo no descansa.
La amplitud de la tarde ciñe inmensa.
Bajo el secreto de una luz tan mansa,
Amor solar se logra y se condensa.

Y se yerguen seguros dos destinos
Afrontando la suerte de los días,
Pedregosos tal vez o diamantinos.
Todos refulgirán, Amor, si guías.

¡Sea la tarde para el sol! La Tierra
No girará con trabazón más fuerte.
En torno a un alma el círculo se cierra.
¿Por vencida te das ahora, Muerte?

---

* *fortuna... rueda:* Fortuna, divinidad alegórica, personificación del destino ciego y caprichoso: los romanos la representaban con un pie en una rueda y el otro en el aire, simbolizando la inestabilidad.

DESNUDO

Blancos, rosas. Azules casi en veta,
    Retraídos, mentales.
Puntos de luz latente dan señales
    De una sombra secreta.

Pero el color, infiel a la penumbra,
    Se consolida en masa.
Yacente en el verano de la casa,
    Una forma se alumbra.

Claridad aguzada entre perfiles,
    De tan puros tranquilos,
Que cortan y aniquilan con sus filos
    Las confusiones viles.

Desnuda está la carne. Su evidencia
    Se resuelve en reposo.
Monotonía justa, prodigioso
    Colmo de la presencia.

Plenitud inmediata, sin ambiente,
    Del cuerpo femenino.
Ningún primor: ni voz ni flor. ¿Destino?
    ¡Oh absoluto Presente!

OTOÑO, CAÍDA

Caen, caen los días, cae el año
    Desde el verano

Sobre el suelo mullido por las hojas,
    Cae el aroma

128

Que errando solicita la atención
  Del soñador.

Atento el soñador, a pie, despacio
  Va contemplando

Cómo en los amarillos de la flora
  La luz se posa,

Reconcentrada ya en la claridad
  De un más allá.

Más acá se difunde por la atmósfera
  Casi una gloria

Que es ya interior, tan íntima al amparo
  De los castaños,

Tan dulcemente abandonada al sol
  Del peatón.

Con ondas breves de silencio el lago
  Llega hasta el prado,

Propicio a recibir algunas ondas
  De remadoras,

Apariciones que a los sueños dan
  Cuerpo real.

Y el soñador y el sol, predestinados
  Por tanto hallazgo,

Se exaltan con asombro ante las frondas
  Cobrizas, rojas

De esos arces divinos en furor
  De donación.

AGUARDANDO

Ya ni puede mirar los nubarrones
Que avanzan sobre un mundo que a él le duele.
Si joven el color, solemne el cielo,
Crepuscular para exaltarlo todo
Menos a él, minúsculo en su pena.
Por entre los faroles que le alumbran
Ese apresuramiento a pie cansado,
Él no ignora que allí con su mirada
Se alzaría maestro de verdades
A nivel de las fábulas que impulsa
La manifestación de aquel poniente.
Para ascender a la mitología,
Con dioses presidir, ser un arcángel,
Otear bastaría desde un alma
La tarde en esta crisis de apogeo
Que derrumba su alud: este minuto
De un esplendor que es ya su despilfarro.
Él no mira. Se angustia, se oscurece,
Aislado en el ahogo de un tormento.
No hay dilación, no hay márgenes, no hay ríos.
(Libres riberas de quien se abandona.
¡Mirar para admirar!) No existe nada
En torno al corazón acongojado.
¿O será que al respiro no va aquel
Aire en contacto con las lejanías
Del arrebol y sus dominios fúlgidos?
Cristal hay que recoge el centelleo
De los rayos finales y, feliz,
Se ciega en la explosión paradisíaca,
Delira bajo el súbito amarillo,
Es sol también. Amor, y todo es uno.
Llega el puente a ser más: gran atalaya
De estos cielos. ¡Oh multiplicaciones

De los cielos en dádiva incesante
Para muchos! Él, él ¿no es de los muchos?
Aun presuroso, desde aquellas tablas
De puente muy propicio a buen ocaso,
Por fatal cortesía ve, saluda
Sin apenas mirar aquel derroche,
Tan rico entre la nube y el recuerdo,
Y a ciegas se dirige hacia un crepúsculo
Sin hermosura entonces practicable.
¡Dolor! El resignado, ya impaciente,
Aguarda el turno de su fase libre,
De su poder de vibración acorde.

CABALLOS EN EL AIRE

(CINEMATÓGRAFO)

Caballos.
Lentísimos partiendo y ya en el aire,
¿Van a volar tal vez?

La atmósfera se agrisa.
¡Cuánto más resistente
Su espesura más gris!
Con lentitud y precaución de tacto
Las patas se despliegan
Avanzando a través
De una tarde de luna.
Muy firme la cabeza pero sorda,
Más y más retraída a su silencio,
Las crines siempre inmóviles
Y muy tendido el lomo,
Los caballos ascienden.
¿Vuelan tal vez sin un temblor de ala
Por un aire de luna?
Y sin contacto con la tierra torpe,

131

Las patas a compás
—¿Dentro de qué armonía?—
Se ciernen celestiales,
A fuerza de abandono misteriosas.
¿O a fuerza de cuidado?
Inútiles, se entregan los jinetes
—¿Para qué ya las bridas?—
A las monturas suaves y sonámbulas,
Que a una atracción de oscuridad cediendo
Se inclinan otra vez hacia la tierra,
Sólo por fin rozada
Sin romper el prodigio,
Rebotando, volando a la amplitud
Sin cesar fascinante.

Avanzan y no miran los caballos.
Y un caballo tropieza.
¡Con qué sinuosidad de cortesía
Roza, cae, se dobla,
Se doblega a lo oscuro,
Se tiende en su silencio!
Hay más blanco en los ojos.
Más aceradamente se difunden
Los grises
Sobre el inmóvil estupor del mundo.
Las manchas de gentío
Se borran
Tras vallados penosos
Con su oscura torpeza de rumores.
Los caballos ascienden, bajan, pisan,
Pisan un punto, parten,
A ciegas tan certeros,
Más sordos cada vez, flotantes, leves,
Pasando, resbalando.
¡Qué ajuste sideral
De grises,
Qué tino de fantasmas
Para llegar a ser
Autómatas de cielo,

Espíritus —estrellas en su trance
Seguro sin premura!

¿Sin premura de fondo?
Esta pasión de lentitud ahora
¿No es todavía rápida,
No fue ya rapidez?
Rapidez en segundos manifiesta.
Visibles y tangibles,
Desmenuzan el vértigo
De antes
En aquel interior de torbellino:
Corpúsculos, segundos, arenisca
De la más lenta realidad compacta.

¡Gracia de este recóndito sosiego!
El animal se cierne,
Espíritu por fin,
Sobre praderas fáciles.
Allá abajo el obstáculo
Sobre el suelo de sombra.
Silencio. Los rumores del gentío
Por entre las cornisas y las ramas
Desaparecerán,

Callarán los insectos entre hierbas
Enormes,
Y follajes de hierro
Se habrán forjado a solas.
Alguna flor allí
Revelará sus pétalos en grande.

¡Qué lentitud en ser!
Corred, corred, caballos.
Implacable, finísima,
La calma permanece.
¡Cuántas fieles ayudas primorosas
A espaldas de la prisa!

Envolviendo en su gris
Discurre la paciencia
Por entre los corpúsculos del orbe,
Y con su red se extiende
Sobre las lentas zonas resguardadas.
Entre una muchedumbre de segundos
Se ocultan, aparecen
Los cuerpos estelares
Y esos caballos solos,
Arriba solos sobre el panorama.
¡Cascos apenas, leves y pulidos
Pedruscos!

Entre los cielos van
Caballos estelares.
¿Caballos?

EL DESTERRADO

*Corroborating forever the triumph
of things.*

WALT WHITMAN

La atmósfera, la atmósfera se deshilacha.
Invisible en su hebra desvalida,
A sí mismo el objeto se desmiente.
Ronda una mansedumbre con agobio de racha.
Todo es vago. La luna no puede estar ausente.
Así, tan escondida,
¿Eres tú, luna, quien todo lo borra o lo tacha?
Torpe, quizá borracha,
Mal te acuerdas de nuestra vida.

El mundo cabe en un olvido.

Esta oscura humedad tangible huele a puente
Con pretil muy sufrido
Para cavilaciones de suicida.

Cero hay siempre, central. ¡En esta plaza
Tanta calle se anula y desenlaza!

Y de pronto,
                    ¡paso!
                                Con suavidad cruelmente
Discreta
Va deslizándose la pérfida bicicleta.
Pérfida a impulso de tanto perfil,
¿Hacia qué meta
Sutil
Se precipita
Sin ruido?
Lo inminente palpita.

¿El mundo cabe en un olvido?

Y entre dos vahos
De un fondo, nube ahora que se agrieta
Con una insinuación de cielo derruido,
La bicicleta
Se escurre y se derrumba por un caos
Todavía modesto.

—¿Qué es esto?
¿Tal vez el Caos?
                        —Oh,
La niebla nada más, la boba niebla,
El No
Sin demonio, la tardía tiniebla
Que jamás anonada.
Es tarde ya para soñar la Nada.

Devuélveme, tiniebla, devuélme lo mío:
Las santas cosas, el volumen con su rocío.

A VISTA DE HOMBRE

I

La ciudad, ofrecida en panorama,
Se engrandece ante mí. Prometiendo su esencia,
Simple ya inmensamente,
Por su tumulto no se desparrama,
A pormenor reduce su accidente,
Se ahinca en su destino ¿Quién no lo reverencia?

Así tan diminutas,
Las calles se reservan a transeúntes mudos.
Hay coche
Que trasforma sus focos en saludos
A los más extraviados por su noche.
¡Aceras acosadas! Hay disputas
De luces.
En un fondo de rutas
Que van lejos, tinieblas hay de bruces.

¿Llueve? No se percibe el agua,
Que sólo se adivina en los morados
Y los rojos que fragua
De veras, sin soñar, el pavimento.
Lo alumbran esos haces enviados
A templar en la noche su rigor de elemento,
Las suertes peligrosas de sus dados.

II

Contradicción, desorden, batahola:
Gentío.
Es una masa negra el río

Que a mi vista no corre —pero corre
Majestuosamente sin ornato, sin ola.
En la bruma se espesa con su audacia la torre
Civil.
Infatigable pulsación aclama
—Plenitud y perfil
De luminosa letra—
La fama
Del último portento.
Así brillando impetra*
Los favores de todos y del viento:
El viento de las calles arrojadas
A esa ascensión de gradas
Que por la noche suben del río al firmamento.

Muy nocturnas y enormes,
Estas casas de pisos, pisos, pisos
—Con sus biseles en el día incisos
Escuetamente —
Se aligeran. Conformes
Con su cielo resisten, ya tenues, las fachadas
En tantos vanos tan iluminadas.
¡Es tan frecuente
La intimidad de luz abierta hacia lo oscuro:

Esa luz de interior
Más escondido bajo su temblor!
Y late el muro
Sólido en su espesura acribillada
Por claros
De energía que fuese ya una espada
Puesta sólo a brillar.
                                ¿Tal vez hay faros
Que enrojecen las lindes —ya en suburbios— del fondo,
Bajo un cielo rojizo
Sin una sola estrella?
Con mi ventana yo también respondo,
Ancho fulgor, a la ciudad. ¿Quién la hizo

* *impetrar:* 'pedir algo con insistencia'.

137

Terrible, quién tan bella?
Indivisible la ciudad: es ella.

III

Sálveme la ventana: mi retiro.
Bien oteada, junta,
La población consuela con su impulso de mar.
Atónito de nuevo, más admiro
Cómo todo responde a quien pregunta,
Cómo entre los azares un azar
A tientas oportuno sirve a los excelentes.
He ahí la ciudad: sonando entre sus puentes.

Mientras, ¡ay! yo columbro, fatigado, la trama
De tanta esquina y calle que a mi ser desparrama,
Laborioso, menudo, cotidiano,
Tan ajeno a mi afán, en lo inútil perdido:
Esta vida que gano
Sin apenas quejido.
¿Solución? Me refugio
Sin huir aquí mismo, dentro de este artilugio
Que me rodea de su olvido.

IV

Espacio, noche grande, más espacio.
Una estancia remota,
De mí mismo remota en el palacio
De todos, de ninguno. ¿Compañía
Constante.
Soledad? No se agota
Cierta presencia, nunca fría.
¡Oh muchedumbre, que también es mía,
Que también yo soy! No, no seré quién se espante,
Uno entre tantos.
No hay nada accidental que ya me asombre.
(La esencia siempre me será prodigio.)

138

Es invierno. Desnudos bajo mantos:
El hombre.
¿Tú? Yo también. Y todos.
La confusión, el crimen, el litigio.
¡Oh lluvias sobre lodos!
Gentes, más gentes, gentes. (Y los santos.)

Esta es mi soledad. Y me remuerde:
Soledad de hermano.
El negror de la noche ahora es verde
Cerca del cielo, siempre muy cercano.
¡Cuánto cielo, de día, se me pierde
Si a la ciudad me entrego,
Y en miles de premuras me divido y trastorno.
Junto al desasosiego
De los cables en torno!

Soledad, soledad reparadora.
Y, sin embargo,
Hasta en los más tardíos repliegues, a deshora,
No me descuides, mundo tan amargo
—Y tan torpe que ignora
Su maravilla.
Oh mundo, llena mi atención, que alargo
Sin cesar hacia ti desde esta altura
Que en noche se encastilla,
Así jamás oscura.
Vive en mí, gran ciudad. ¡Lo eres! Pesa
Con tus dones ilustres. El alma crece ilesa,
En sí misma perdura.

V

Vencido está el invierno.
La fatiga, por fin, ¿no es algo tierno
Que espera, que reclama
Sosiego en soledad?
                    Y el drama...
Siga en lo oscuro todo.

Básteme ya lo oscuro de un recodo,
Repose mi cabeza.
¡Única soledad, oh sueño, firme
Trasformación! Empieza
Modestamente el ángel a servirme.
Poco a poco se torna la dureza
Del mundo en laxitud. ¿Es fortuna interina,
Perderé?
      Ganaré. Creciente olvido
Negará toda ruina.
Gran pausa.
      ¡Cuánto, nuevo!
Y yo despertaré. No será lo que ha sido.
(¿Padecerá en su ayer el malherido?)
Mi existencia habrá hincado sus raíces
En este ser profundo a quien me debo:
El que tan confiado, gran dormir, tú bendices.
Todo, mañana, todo me tenderá su cebo.

EL RUISEÑOR

Por don Luis *

El ruiseñor, pavo real
Facilísimo del pío,
Envía su memorial
Sobre la curva del río,
Lejos, muy lejos, a un día
Parado en su mediodía,
Donde un ave carmesí,
Cenit de una primavera
Redonda, perfecta esfera,
No responde nunca: sí.

---

* don Luis: En el segundo Cántico (1936), la dedicatoria
decía: Por don Luis de Góngora.

140

PASMO DEL AMANTE

¡Hacia ti que, necesaria,
Aun eres bella! (Blancura,
Si real, más imaginaria,
Que ante los ojos perdura
Luego de escondida por
El tacto.) Contacto. ¡Horror!
Esta plenitud ignora,
Anónima, a la belleza.
¿En ti? ¿En quién? (Pero empieza
El sueño que rememora.)

PARAÍSO REGADO

Sacude el agua a la hoja
Con un chorro de rumor,
Alumbra el verde y lo moja
Dentro de un fulgor. ¡Qué olor
A brusca tierra inmediata!
Así me arroja y me ata
Lo tan soleadamente
Despejado a este retiro
Fresquísimo que respiro
Con mi Adán más inocente.

EL NIÑO DICE...

¿Qué dice? Ni un balbuceo.
Sólo un susurro en apunte.
Basta que a los labios junte,
Aguzándose en deseo,
Este espíritu que veo
Pendiente de mi respuesta.
Él es quien se manifiesta
Sin palabras, de tal modo
Jovial que lo dice todo
Con una salud en fiesta.

EN PLENITUD

Después de aquella ventura
Gozada, y no por suerte
Ni error —mi sino es quererte,
Ventura, como madura
Realidad que me satura
Si de veras soy —después
De la ráfaga en la mies
Que ondeó, que se rindió,
Nunca el alma dice: no.
¿Qué es ventura? Lo que es.

PROFUNDA VELOCIDAD

Sola silba y se desliza
La longitud del camino
Por el camino. ¡Qué fino!
¡Mas cómo se profundiza
La presencia escurridiza
Del país, aunque futuro,
Tras el límite en apuro
Del velocísimo Ahora,
Que se crea y se devora
La luz de un mundo maduro!

A LÁPIZ

¿El mundo será tan fino?
¿Lo veo por nuevas lentes?
Hay rayas. Inteligentes,
Circunscriben un destino,
Sereno así. Yo adivino
Por los ojos, por la mano
Lo que se revuelve arcano
Bajo calidad tan lisa.
Toda un alma se precisa,
Vale. Tras ella me afano.

NIÑO CON ATENCIÓN

—Ojos. Azul. Sus destellos,
De repente inquisitivos,
Reservan en los archivos
De la atención los más bellos
Datos. —Y así, todos ellos
Tan bellos ¿serán reales?
—Tal azul exige tales
Acordes con su belleza
Que de nuevo el mundo empieza
Con todos sus manantiales.

LO INMENSO DEL MAR

Mar en cartel. Ah, no hay bruma.
Total azul. Sobrehumano,
Levanta en vilo al verano
Sin celaje, sin espuma.
Tanta unidad, si me abruma,
—Monótona, lenta, plana—
¡Qué bien me rinde y me allana
—Dúctil, manejable, mía—
Lo inmenso del mar, en vía
De forma por fin humana!

VASO DE AGUA

No es mi sed, no son mis labios
Quienes se placen en esa
Frescura, ni con resabios
De museo se embelesa
Mi visión de tal aplomo:
Líquido volumen como
Cristal que fuese aun más terso.
Vista y fe son a la vez
Quienes te ven, sencillez
Última del universo.

FE

El alba. Todo me espera
También hoy.
Una fe con su certera
Voz de aliento
Me impulsa y mantiene fuera
De este mundo que yo soy,
En un viento
Que me enlaza a un real octubre.
No, no invento.
¿No soy yo quien él descubre?

SIEMPRE AGUARDA MI SANGRE

Siempre aguarda mi sangre. Es ella quien da cita.
A oscuras, a sabiendas quiere más, quiere amor.
No soy nada sin ti, mundo. Te necesita
La cumbre de la cumbre en silencio: mi estupor.

LA VOCACIÓN

Cada minuto viene tan repleto
Que su fuerza no pasa,
Y aunque al reloj sujeto,
No se humilla a su tasa
Justa, no se disuelve en un discreto
Suspiro. Por debajo
De un más sensible sin cesar Presente,
Cada minuto siente
Que seduce una voz a su trabajo.
—Dame tu amor, tu lento amor, detente.

EL MAR EN EL VIENTO

Aquí, por esta calle el viento llega
Como una dicha que precipitara
La entrega
De sus profundidades cara a cara.
¡Efusión de frescura! No sé adónde
Conduce este contacto

146

Súbito de un azar.
¡Hondo olor! En el acto
Me exige que recuerde, que lo ahonde.
—Embriágame, viento, profundizo hasta el mar.

PROFUNDO ESPEJO

Entró la aurora allí. Se abrió el espejo.
Soñaba la verdad con otra vida.
Pero tan fiel al punto de partida
Por lo profundo se alejó lo viejo

Que, latente en la fábula el cotejo,
Aun más puras se alzaron en seguida
Las formas. Y hecha gracia la medida,
De sus esencias fueron el reflejo.

Un material muy límpido y muy leve
Se aislaba exacto y mucho más hermoso.
La exactitud rendía otro relieve.

Mientras, las sombras se sentían densas
De su acumulación y su reposo.
La verdad inventaba a sus expensas.

HACIA EL POEMA

Porque mi corazón de trovar non se quita.

JUAN RUIZ

Siento que un ritmo se me desenlaza
De este barullo en que sin meta vago,
Y entregándome todo al nuevo halago
Doy con la claridad de una terraza,

147

Donde es mi guía quien ahora traza
Límpido el orden en que me deshago
Del murmullo y su duende, más aciago
Que el gran silencio bajo la amenaza.

Se me juntan a flor de tanto obseso
Mal soñar las palabras decididas
A iluminarse en vívido volumen.

El son me da un perfil de carne y hueso.
La forma se me vuelve salvavidas.
Hacia una luz mis penas se consumen.

EL HONDO SUEÑO

Este soñar a solas... ¡Si tu vida
De pronto amaneciese ante mi espera!
¿Por dónde voy cayendo? Primavera,
Mientras, en torno mío dilapida

Su olor y se me escapa en la caída.
¡Tan solitariamente se acelera
—Y está la noche ahí, variando fuera—
La gravedad de un ansia desvalida!

Pero tanto sofoco en el vacío
Cesará. Gozaré de apariciones
Que atajarán el vergonzante empeño

De henchir tu ausencia con mi desvarío.
Realidad, realidad, no me abandones
Para soñar mejor el hondo sueño.

VUELTA A EMPEZAR

Está lloviendo aún de los llovidos
Castaños, y la gota de la hierba
Compone un globo terso que conserva
La oculta libertad de los olvidos.

Pájaros, impacientes en los nidos,
Se aventuran por esa fronda aun sierva
Del agua celestial. ¡Ay, sigue acerba
La tarde en los balcones prometidos!

Tanto gris se demora en una pausa
Donde el mundo coincide con el tedio,
Resignado a esperar que todo pase.

¡No! Del propio vacío, mientras causa
Mi desazón, resurge el fiel asedio:
Al encanto inmortal la nueva frase*.

CIERRO LOS OJOS

Une rose dans les ténèbres.

MALLARMÉ

Cierro los ojos y el negror me advierte
Que no es negror, y alumbra unos destellos
Para darme a entender que sí son ellos
El fondo en algazara de la suerte,

---

* *frase:* otra vez, el poeta al fresco. Véase nota de pág. 102.

149

Incógnita nocturna ya tan fuerte
Que consigue ante mí romper sus sellos
Y sacar del abismo los más bellos
Resplandores hostiles a la muerte.

Cierro los ojos. Y persiste un mundo
Grande que me deslumbra así, vacío
De su profundidad tumultuosa.

Mi certidumbre en la tiniebla fundo,
Tenebroso el relámpago es más mío,
En lo negro se yergue hasta una rosa.

ÁRBOL DEL OTOÑO

Ya madura
La hoja para su tranquila caída justa,

Cae, Cae
Dentro del cielo, verdor perenne, del estanque.

En reposo,
Molicie de lo último, se ensimisma el otoño.

Dulcemente
A la pureza de lo frío la hoja cede.

Agua abajo,
Con follaje incesante busca a su dios el árbol.

EQUILIBRIO

Es una maravilla respirar lo más claro.
Veo a través del aire la inocencia absoluta,
Y si la luz se posa como una paz sin peso,
El alma es quien gravita con creciente volumen.
Todo se rinde al ánimo de un sosiego imperioso.
A mis ojos tranquilos más blancura da el muro,
Entre esas rejas verdes lo diario es lo bello,
Sobre la mies la brisa como una forma ondula,
Hasta el silencio impone su limpidez concreta.
Todo me obliga a ser centro del equilibrio.

EN EL AIRE

En el aire, la luz.
                    ¿Hay soledad?
Hay desnudez vacante
Con trasparencias en expectación,
Algo como un vacío sonriente.

¿Vacío?
         Luz. ¡El aire!
                        Algo cruje, futuro:
Un porvenir tan leve que se agrega al silencio.

¿Nunca ha sido la nada?
                        Hoy no es.
A través de la luz, desnudas, vibran
—Mayo siempre con Venus— una espera,
Una esperanza.

ÁNGULO DOMÉSTICO

Aquellos muros trazan la intimidad de un ángulo
Tan luminosamente sensible en su reserva
Que a los dos personajes allí dialogadores
—Discursivo el galán, muy cortés la señora—
Se ofrecen en concierto la ventana y un mapa.
El día de una calle, quizá de algún jardín
Acompaña dorando, templando su valor
En vidriera y pared. Continentes, océanos,
Todo converge allí. ¡Qué intimidad de estancia,
Qué azul de terciopelo! La atención es un éxtasis.

LOS JARDINES

Tiempo en profundidad: está en jardines.
Mira cómo se posa. Ya se ahonda.
Ya es tuyo su interior. ¡Qué trasparencia
De muchas tardes, para siempre juntas!
Sí, tu niñez, ya fábula de fuentes.

LOS AMIGOS

Amigos. Nadie más. El resto es selva.
¡Humanos, libres, lentamente ociosos!
Un amor que no jura ni promete
Reunirá a unos hombres en el aire,
Con el aire salvándose. Palabras
Quieren, sólo palabras y una orilla:

Esos recodos verdes frente al verde
Sereno, claro, general del río.
¡Cómo resbalarán sobre las horas
La vacación, el alma, los tesoros!

LA NIEVE

Lo blanco está sobre lo verde,
Y canta.
Nieve que es fina quiere
Ser alta.

Enero se alumbra con nieve, si verde,
Si blanca.
Que alumbre de día y de noche la nieve,
La nieve más clara.

¡Nieve ligera, copo blando,
Cuánto ardor en masa!
La nieve, la nieve en las manos
Y el alma.

Tan puro el ardor en lo blanco,
Tan puro, sin llama.
La nieve, la nieve hasta el canto
Se alza.

Enero se alumbra con nieve silvestre.
¡Cuánto ardor! Y canta.
La nieve hasta el canto —la nieve, la nieve—
En vuelo arrebata.

LUZ NATAL*

I

Tan anchamente se ilumina el llano
Que apenas lo dibuja como valle,
Por fin, el horizonte.

Horizonte de lomas
Donde apunta desnudo
—Cimas jamás surcadas—
Un trozo de universo.
¿Desolado? Ya no.
Con tanto ahínco dura
Que hasta su bronca eternidad atrae:
Caliza gris que se reserva humilde,
Gris de una lucidez
Como si fuese humana.

Sin cesar revelándose planeta,
Ese cerro asordado
Se me reduce a fondo
Que a través de su nombre se divisa:
Cerro de San Cristóbal.
Si con su modelado se me rinde,
Me ayuda con su luz.

¡Oh luz del universo,
Para mí tan natal
En alegría de revelación
Henchidamente!

Luz de esta Castilla
Me impone mi destino:

---

* *Natal:* la meseta metamorfoseada en San Cristóbal (roca =
cuerpo/fuego=sangre).

154

Ser ahora y vivir
Dentro de este retorno del minuto
Que a respirar me fuerza
Frente a un mundo que tanto me define.
Persistiendo en mi ley
Gozo determinándome,
Preciso ante un confín
De criatura alzada
Sobre su propia cima: criatura
De las generaciones.

II

Han corrido las sangres
Como ríos en busca de otros ríos.
Y sin final se precipitan, corren,
Corren hasta perderse,
Nuevas, recién lanzadas por los cruces
De una red que se intrinca,
Emboscadas las lindes
De la incesante selva.
¿Desde dónde hacia dónde?

Eternidad también
Que sobrepuja al tiempo y su maniobra,
A todos los estériles paréntesis,
A toda oposición de cataclismo,
A los fuegos del hombre y sus ideas,
Eternidad de ríos estivales
Que son un río solo como el mar.

¿O más que el mar? Trascurre, se transmite,
Más feroz que en su máscara de muerte,
Vida a estilo de vida.
Generaciones de generaciones,
Jardines sobre lechos,
¡Cuánto nacer innúmero hacia el sol!

Y entre las criaturas,
Una vez... Ah, yo. ¿Yo?

Yo ajustado a mis límites:
El ser que aquí yo soy, sobre esta cumbre,
Bajo este firmamento
No escogido por mí.
¡Gracias!

Heme también aquí. Regalo,
Regalo para quien
¡Ah! nada merecía,
No era nada ni nadie.
Os debo a ti y a ti
Mi don de ser a gusto
Por entre tantos seres,
Mis frases impelidas
Por palabras que son de vuestras bocas.

Historia ilustre, libertad en blanco,
Sustentación de patria.

Tú, mi gran responsable,
Tú encendiste la chispa suficiente
Para sentir el ser como fortuna,
Para exaltarme el ansia hasta la obra,
El amor hasta el hijo.
Llega a mí tu energía
Como enlace con todas las firmezas,
Sin cesar navegando en la corriente
Sin principio ni término.

Oh padre generoso,
Siempre comba de amparo,
A pie quieto muralla entre ese mundo
Terrible y nuestra dicha,
Con tanto despilfarro de ti mismo
Luchador de una lucha
Que fuera sumo juego,
Alma ya sin cesar tan aplomada,
Sin cesar en tu temple
De varón generoso.

Me aguardaba la tierra con el cielo
Bajo tu poderío,
Mano tendida hacia la criatura
Nueva aún, expectante.

Entre el destino y vuestro amor surgía
—¡Oh supremo caudal aquí!— España.

III

Son leves diferencias: todo un mundo.
Cierto arranque del alma,
Un no sé qué de fibra
Que desplegara espíritu,
Cierto andar. Con el porte,
Esa inflexión —tan única— de voz.

Y la palabra. ¡Nuestra, la palabra!

Vida común irreductible a idea,
Si creación de tantos,
Próximos a sus cielos,
—Móviles cielos nunca detenidos—
Definición de nadie.
Realidad, realidad
En tornasol, en mente.

Entre muros y torres ved el aire:
Un aire de afluencias matutinas
Que también será ardor
Hasta por las penumbras y las sombras.

¿Y quién te encerrará,
Movimiento del fuego?
¿Habrás de resignarte a ser ceniza,
Mortuoria ceniza problemática?

Mientras, la Historia... ¿Dónde?
Historia por mis venas y mis huesos,
Historia en este soplo
Que alentándome está la frase actual.

¿Amarillentas ruinas?
¿Y el impulso que llega de vosotros,
Los vivientes aún
En esta pulsación que marcha sola
Sin mí, tan mía, yo?

Yo, bajo mis vocablos
Resonantes de rutas,
A través de mi propia libertad
Hacia lo todavía no existente,
Hacia las tardes de una luz que espera,
De un matiz que no vive nunca solo.
¿Habrá de ser mi mano
Quien tal vez os colore,
Trémulas tardes indeterminadas?

Algo fue que es futuro:
Incógnita filial,
Juventud que no cesa.
¡Oh patria, nombre exacto
De nuestra voluntad, de nuestro amor!

IV

Los terrenos ondulan, y continuos.
Es el planeta patrio.
Minúsculo, visible,
Para todos esférico,
Girando va con todos.
¡Oh común ansiedad, oh patrias juntas!

Completa redondez
Para nuestras dos manos.
Pilas, moles, derrumbes
Y polvo, polvo, polvo
Si no el tizón y el humo.

¿O tierra para el agua?
Agua de aljibe lleno
Que predispone a trasparencia el día,
Agua en temblor alzado
Por las gotas de lluvia,
Agua salina de los oleajes,
Océanos, el mar, un solo mar.

Entre arenas y frondas, hacia orillas,
Entre vientos y llamas,
El sí, el no del animal que elige,
Que ya se elige humano,
Tan capaz de ser hombre.

Es él también aquél, ya sobre tablas
De fiesta y prepotencia.
Mirad su catadura.
Desde el testuz de toro,
Las crines de un león muy jaspeado
Por la piel relumbrante.
Y un sonreír de estío que ilumina
Boca, dientes y voz,
Voz de halago que ahora,
De pronto, se oscurece,
Airada contra el aire.
Escándalo, poder, pelea, crimen,
Y una abstracción con lujo de uniforme,
La multitud en torno a su enemigo,
Razones y razones, muertos, muertos.

¡Cómo pulula el incidente humano!
No hay soledad de Historia.
¿Apartadizos? Juntos.
¡Compañía terrible,
Dulce y consoladora compañía!

Oíd: un hombre al habla.
Manifiesto el espíritu.
Es el habla común:
Amorosa invasión de claridad.

Que ni un solo sabor
Se nos anule en giros de planeta.
¡Hermosas precisiones!
Gracia natal: España.

Ese cielo agudísimo de calle,
Ese centellear
Cerámico de cúpula,
Este rumor de esquina
Conversada me entienden.

Aquí soy consistencia de este valle,
Un chopo de una margen,
Atmósfera tangible de llanura,
Calor aún de viento
Sobre aquellas espigas.

¡Cuántas vivacidades
Por ahí derrochadas
Que el corazón reúne: mi tesoro!

Y las desolaciones de granito,
La desnudez que entrega estos perfiles...
¿Serán quizá mis huesos
Quienes mejor respondan
A esa llamada oscura,
Para mí complaciente?

Sonando, despejándose,
Ya la profundidad de la mañana
Me conduce otra vez a mi memoria.
Os rendisteis, mirada con silencio,
Reticencia en repliegue que no oculta.

¿Y si ya no quedara entre nosotros
Más que civil abismo?
Abismo, sí, tal vez, de sol viviente.

¿Por deber? Por instinto que bien sabe,
Por hábito de amor,
Por la infancia de entonces
Bajo esta madurez ahora encima,
Te son, tierra, leales mis raíces
Más inocentes. Sólo así perdura
Mi ahinco meridiano.

¿Y el ceño de tu rostro en este día?
¿Y tanta depresión tan disolvente?
Tú sólo existes, áspera, risueña,
Para mi amor, para mi voluntad,
Para creer creándote.

¿Destino? No hay destino
Cifrado en claves sabias.

¡Problema! Polvoriento
Problema del inerte,
Profecía del antivisionario,
Cobarde apocalipsis.
Problema, no, problemas
Limpios de lagrimada vaguedad.
Que los muertos entierren a sus muertos,
Jamás a la esperanza.
Es mía, será vuestra,
¡Cuántas, y juveniles,
Pisarán esta cumbre que yo piso!

Esperanza agarrada a la cautiva
Sucesión: a través del tiempo, tiempo.
Confío mi esperanza a este planeta
—En su presente forma de terruño.
A pleno acorde aquí
Todo mi ser apunta.

Aquí, tan verde el agua hacia más agua,
Siempre hacia su futuro, su infinito.

161

Orea una frescura:
Frescura de Castilla en el encuentro
De los dos ríos, de los dos verdores.
Vibración de riberas,
Frondas ante corrientes.
Hay murmullos de cielos arrojados,
Acercados, amigos.

Y los pinares con aromas hondos
De energía fluida,
De potencia guardada.

Se yerguen sin brillar trigales nuevos,
—Después tan acogidos a la luz—
Nuevos en la mañana de los tallos
Que verdean, se afilan.

Verdes aún las hojas de los chopos:
Hojas de una impaciencia
Que habrá de serenarse en amarillo.

¡Primavera irrumpida!
Tiende a cielos enteros
Esa planicie que la vista abarca,
Sin cesar dominante.

Paredes y solaz de sol benigno.

Los grises de los cerros luminosos
Con más color se avivan,
Y el aire se me ensancha en luz natal,
En eso que yo soy.

Me equilibra este cerro de horizonte:
San Cristóbal modestamente puro,
Eminencia ofrecida como calma

De nadie para todos,
Local eternidad.
Y la tierra caliza
—Sin surcos acerándose*—
Nos refiere a su término
Familiar y no hollado,
Término de planeta nunca antiguo.

MÁS VERDAD

I

Sí, más verdad,
Objeto de mi gana.

Jamás, jamás engaños escogidos.

¿Yo escojo? Yo recojo
La verdad impaciente,
Esa verdad que espera a mi palabra.

¿Cumbre? Sí, cumbre
Dulcemente continua hasta los valles:
Un rugoso relieve entre relieves.
Todo me asombra junto.

Y la verdad
Hacia mí se abalanza, me atropella.

Más sol,
Venga ese mundo soleado,
Superior al deseo
Del fuerte,
Venga más sol feroz.

¡Más, más verdad!

---

* *acerar:* convertir en acero, fortalecer.

Intacta bajo el sol de tantos hombres,
·Esencial realidad,
Te sueño frente a frente,
De día,
Fuera de burladeros.
Eres tú quien alumbra
Mi predisposición de enamorado,
Mis tesoros de imágenes,
Esta mi claridad
O júbilo
De ser en la cadena de los seres,
De estar aquí.

El santo suelo piso.
Así, pisando, gozo
De ser mejor,
De sentir que voy siendo en plenitud,
A plomo gravitando humildemente
Sobre las realidades poseídas,
Soñadas por mis ojos y mis manos,
Por mi piel y mi sangre,
Entre mi amor y el horizonte cierto.

Son prodigios de tierra.

ESTACIÓN DEL NORTE

Pero la brutal baraúnda,
Esa muchedumbre que inunda
Nuestra común desolación...
Pero un andén* se nos ofrece.

---

* *andén:* también, aquí, muelle de un puerto. Posible refe-
rencia a la emigración, tanto interior como exterior, a partir de
los años 40.

No creo en el número trece.
¡Potencia viva de estación!

Muchos viajamos. Gran turismo.
Lejos no está ningún abismo.
—¿Cuál prefiere? —¿Yo? No, señor.
No quisiera más que una zona
Sin prohibición de persona
Ni obligaciones de temblor.

Esa angustia de una tiniebla
Que sólo de objetos se puebla...
Hombres han sido y todavía
Lo son porque sufren —de modo
Correcto a veces— bajo el lodo
Que enmascara aquella agonía.

¿Tan turbia es nuestra incertidumbre
Que ni un rayo habrá que la alumbre?
El mundo se inclina a su muerte.
Hasta el silencio está roído
Por algún fantasma de ruido
Que en sordo abuso lo convierte.

¿Se empeña la Historia que diga
Toda voz a la dulce amiga
Que para salvar amenaza:
Quítame el peso de ser libre,
Déjame que sólo ya vibre
Con ilusión bajo tu maza?

Loquea en público el obseso,
Huyen bajo un odio confeso
Moribundos por los caminos.
Resplandecen los uniformes,
Crimen por ley, todos conformes,
Los aparatos son divinos.

Máquinas, máquinas... Y un humo
General: así me consumo.
¿Todo morirá en mala bruma?

No, no, no. Vencerá la Tierra,
Que en firmamento nos encierra:
Ya al magno equilibrio nos suma.

EL INFANTE

I

¿Qué es ese alrededor desconocido
Para esta novedad de criatura?
Sin noción, sin vocablo va el sentido
Sintiéndose en un ser que existe y dura.

Perdurar: concentrarse como un nudo
Cada vez más liado a esa maraña
Que está infundiendo al tan recién desnudo
Su fe en la realidad que le era extraña.

Esta incipiente forma de alegría
Material es ya fe, la fe ya alerta,
Iluminada por lo que todavía
Fulge arcano en la tierra descubierta.

Ignorante, sumiso, tan pequeño,
Dependiente de todo lo que ignora,
Se rinde a todo sin temor ni ceño
Susurrando en su ínsula sonora.

Es el infante*. No, no necesita
Vocablos, los vocablos de después,
Para expresar ahora su infinita
Beatitud. Hay gloria en ser. Él es.

_____

* *infante:* 'del latín, *infante,* que no habla'.

Queriendo permanece el fiel aplomo:
Vigor acumulado de raíz,
Cuna en paz, en origen puro como
Si la imantara un término feliz.

Se confía el infante. Ya está dentro,
Profundamente dentro de un amparo
Que se le impone y le trasforma en centro
De inmensidad cerrada por un aro.

Centro de cumbre: cuna. Mimbre, seda
Guardan con precisión al desvalido,
Que no lo fue jamás. El mundo rueda
Suavizándole aún color y ruido.

Es acaso pueril aquella nube
Que al azar abandona su recreo.
Hacia esa altura este minuto sube.
¡Tanto se desenvuelve su deseo!

La luz aquí se dora sin cautela:
Tarde a sus amarillos entregada,
Férvidos. ¿Para quién? Un rayo vela,
Visible eternidad de la jornada.

¡Infante! La batista —sobre el mimbre,
Del matiz de la tarde— relaciona
Tanta acunada suerte con la urdimbre
De los cielos, redor* de la persona.

II

Persona y luz: un alma nunca ciega,
Realísima ante todos, evidente,
Con sus indecisiones se despliega
Resplandeciendo sobre su presente.

---

* *redor:* 'alrededor'.

A tientas el candor y soberano,
Él es quien forma y rige este paisaje
De expectación en fondo de verano
Para que le sonría y le agasaje.

Un sonreír entrecruzado enlaza
Sendas y sendas en aquel islote
De solícitos círculos. No hay plaza
Donde mejor el hondo arranque brote.

Solicitud en ruedo de sonrisa
Que circula, retorna y se condensa
Como si fuese una señal incisa
Con su mensaje en la atención intensa.

No hay ser de un sonreír más numeroso,
No hay sonreír más esencial a un ser.
Por sus ondulaciones de reposo
Centellea un constante esclarecer.

El cuerpo todo participa, goza
De esta iluminación. El alma es nueva,
Nada sabe de fárrago ni broza.
A dudar de esta luz ¿hay quien se atreva?

Luz de carne, sonrisa corporal*,
Suavísimos chispazos de una gracia
Con fuerza de misterio sin final:
Vivir que sólo en más vivir se sacia.

Desde siempre hubo acorde entre ese infante,
Forma justa del ánimo risueño,
Y el frescor trasparente de levante
Destinado al más puro que su sueño.

Ese tranquilo respirar no para
De exigir imperiosamente el pacto
Con el día y su atmósfera más clara,
Envoltura ideal de lo compacto.

---

* *sonrisa corporal*: véase página 86 y nota.

El infante está ahí queriendo día
Con sus ojos azules, con la tez
Que lo más vivo a lo rosado alía,
Con la hermosura de su desnudez.

Mundo, más mundo quiere con lo esbelto
De sus pestañas, sombra a veces seria,
Con lo rollizo de su puño vuelto
Ya a una presión que pide una materia.

¡Materia capital! No la discierne
La mano. ¿Superficie? No es sencilla.
Universo confuso apunta en cierne
Tal atracción que todo se le humilla.

Sin poder, sin saber, pero no a ciegas,
La criatura se dirige a eso:
El enigma inmediato. —¿Ya le niegas
Las claves? Sin eclipse el embeleso.

¡Manos tendidas! Y la boca aguda
Quiere satisfacer sus avideces.
Todo contacto en goce se trasmuda.
¡Oh boca humana, cómo te enardeces!

Hay una tentativa de ademán,
Y de pronto en el ceño, que rechaza,
Irresistibles ímpetus están
Esbozando un preludio de amenaza.

El coraje impaciente va hasta el lloro.
¿Qué fue de aquel gorjeo prodigado?
Persiste en armonía con el coro
Solar ese desorden —sin pecado.

Inquietud, manoteo. Brazos, piernas
Anuncian la fruición del caminante.
Una mirada multiplica tiernas
Insinuaciones. ¡Que una voz le cante!

Triunfa en paz un origen. ¿Habrá estreno
De más seguro tino? Con delicia
De certidumbre se presiente el pleno
Contorno de la gracia que se inicia.

Gracia animal o suma elemental
De todos los aciertos más humanos.
Equilibrio tan justo excluye el Mal.
Es mucha la alegría entre las manos.

¿Frágil será el primor? Este volumen
Grosezuelo de brazos y rodillas,
Este decoro de la sien presumen
La gran corriene desde sus orillas,

Una oleada que meciendo impera,
General y fatal, arrulladora,
Con una pulsación que es una espera
Sin cesar anhelante de otra aurora.

Así la inmensidad materna tiende,
Brinda al verano la esperanza pura,
Acorde con el sol y siempre allende:
Sin linde el mundo de la criatura.

III

Minúsculo resalta el centelleo
Sobre la multitud del mar en lucha.
Lucha dichosa. ¿Bella? Nada es feo
Para quien con amor mirando escucha.

Montones de oleaje entre chasquidos,
Al agitar sus bálagos* de ira.
Se desmoronan más estremecidos
En el postrer susurro que suspira.

---

* *bálagos:* 'paja de los cereales trillados'.

¡Cuánta afluencia en la armonía breve,
Ese tul, esa piel, esta palabra,
Cuánto concurso de universo debe
Fluir por toda flor que al fin se abra!

Se precipitan hacia su destino
Tumultos de un alud que arrolla y crea.
He aquí un desenlace. Sobrevino,
Carnal, este fervor que exige idea.

Sobrevino esta chispa vehemente,
Se encendió la esperanza entre unos huesos,
Al sol llamó la comba de la frente,
El cielo dio sus cúmulos ilesos.

Desde esta sangre al sol hay una dicha
Directa. Se responden ese espacio
—Con tesoros de fábula no dicha—
Y este ser a más ser jamás reacio.

¡Qué explosión diferida de ilusiones
Aguarda en el asalto apetecido,
En ese rebullir de tantos dones
A través del esfuerzo y del quejido!

Todo queda en su cima de ignorante
Bienestar. El reposo luce. Queda
Patente sin vocablos el infante
Sobre la altura de batista y seda.

El infante no dice más que vida,
Vida entrañablemente fabulosa,
Con su fábula sólo tan fundida
Que nada es tan real como la rosa.

Es necesario que la luz alumbre
Valles y montes dignos de este puro
Favor de la existencia, ya vislumbre
Sutil en su frescura de futuro.

Sigue la Creación creando. Calma
De infante: lo divino en sí confía.
Ese dorado de la piel es alma.
¡Universal infante de alegría!

MÁS VIDA

I

¿Por qué tú, por qué yo bajo el cielo admirable?
¿Por qué azar, por qué turno
De favor, por qué enlace
De laberinto, por qué gracia
De viaje
Prorrumpimos a ser, acertamos a estar
En el instante
Que se arrojaba hacia la maravilla?

Sí, salve.

II

Hijo, resplandor
De mi júbilo
Como el verso posible
Que busco.

Gracias a ti, figura de mi amor bajo el sol,
Restituido
Todo a esa luz y con alma visible a ti acudo,
Límpido.
En su interior el alma profundiza
Sin oscurecimiento.
Heme aquí de mi noche liberado,
Neto.

172

Hijo, ya impulso hacia la luz
Desde mi gozo:
Hay luz universal
Para tus ojos.

III

¡Cuántos siglos ahora sosteniéndote,
Y con su esfuerzo
Latentes, montañosos,
A tus pies emergiendo
Para levantar un futuro
Todavía tan leve y tan inquieto
Que apenas
Se insinúa en el aire de tu pecho!

IV

La mirada mía verá
Con tus ojos
El mejor universo:
El de tu asombro.
A través de tus horas, sin descanso
Más allá de la muerte,
Hasta el año 2000 he de llegar
Calladamente.

Hijo tan asombrado, tan interior al círculo
Del enigma:
La Creación en creación
Es quien te sitia.

V

Hacia su plenitud
Mi mejor pensamiento,
Frente a mí se me planta,

Carne y hueso.
Eres.

    Y no soy libre.
¡Qué dulce así, ya prisionero
De mi vida más mía,
Ser responsable de tu aliento!
Tu realidad no deja escapatoria.
Eres mi término,
El término fatal de mi ternura.
¡Qué gozo en este apego
Sin ninguna razón,
En este celo
Tan obstinado tras la pequeñez!
Profundo amor pequeño
Me fuerza
—Dentro de un orbe que es un cerco—
A gravitar, y así con mi vivir
Gravito, quiero,
Astro dichoso.
¡Oh dicha: preso!
             Preso.
¿Quién eres, quién serás?
Existes. Eres. En tu mundo quedo.

VI

Hasta las raíces de mi orgullo profundiza,
Me cala,
Alto y ligero sobre el orgullo levantándome,
Tu gracia.

A tu gracia me rindo
Con mi poder.
Nada se puede contra el ángel.
El ángel es.

Entre las cosas y los sueños
Avanzas
Tan soñado, tan real que me descubro
Más cerca el alma.

174

VII

Y tú,
Ya con el viento.
¡Qué desgarrón de claridad
En el silencio,
Cuánto espacio de luz esperanzada
En ese acecho
Que es el aire por junio,
A la gracia dispuesto!
Y tú,
Ya con el viento.

VIII

Hijo, vislumbre
De gloria:
Cielos redondos ceñirán
Tus obras.

Cima apuntada hacia el azul escueto,
Sin celaje:
El amor mismo te dará
Sus valles.

No soy mi fin, no soy final
De vida.
Pase la corriente. No es tuya
Ni mía.

Hijo, centella
De un fuego*:
En el gran fuego inextinguible
Quemémonos.

---

* *fuego:* véase dedicatoria de *Y otros poemas*, pág. 363.

IX

Ardiendo pasa la corriente. ¡Salve!
Fuegos de creación
Siempre en nosotros, con nosotros arden.

¿Llamas ocultas, de repente en alto,
Brincan, embisten, ágiles?

Errares con dolores,
Desastres.
¡Ay, luchas de Caín!

Y todo se deshace y se rehace.
¿Llamas y brasas?
Es el mundo invasor y de veras creándose,
Un mundo inmenso
De verdades,
Una inmensa verdad
De sangre.

Hijo:
Tu mundo, tu tesoro.

PRESAGIO

Eres ya la fragancia de tu sino.
Tu vida no vivida, pura, late
Dentro de mí, tictac de ningún tiempo.

¡Qué importa que el ajeno sol no alumbre
Jamás estas figuras, sí, creadas,
Soñadas no, por nuestros dos orgullos!

No importa. Son así más verdaderas
Que el semblante de luces verosímiles
En escorzos de azar y compromiso.

Toda tú convertida en tu presagio,
Oh, pero sin misterio. Te sostiene
La unidad invasora y absoluta.

¿Qué fue de aquella enorme, tan informe,
Pululación en negro de lo hondo,
Bajo las soledades estrelladas?
                Las estrellas insignes, las estrellas
                No miran nuestra noche sin arcanos.
                Muy tranquilo se está lo tan oscuro.

La oscura eternidad ¡oh! no es un monstruo
Celeste. Nuestras almas invisibles
Conquistan su presencia entre las cosas.

QUIERO DORMIR

Más fuerte, más claro, más puro,
Seré quien fui.
Venga la dulce invasión del olvido.
Quiero dormir.

¡Si me olvidase de mí, si fuese un árbol
Tranquilo,
Ramas que tienden silencio,
Tronco benigno!

La gran oscuridad ya maternal,
Poco a poco profunda,
Cobije este cuerpo que al alma
—Una pausa— renuncia.

177

Salga ya del mundo infinito,
De sus accidentes,
Y al final del reposo estrellado
Seré el que amanece.

Abandonándome a la cómplice
Barca
Llegaré por mis ondas y nieblas
Al alba.

No quiero soñar con fantasmas inútiles,
No quiero caverna.
Que el gran espacio sin luna
Me aísle y defienda.

Goce yo así de tanta armonía
Gracias a la ignorancia
De este ser tan seguro que se finge
Su nada.

Noche con su tiniebla, soledad con su paz,
Todo favorece
Mi delicia de anulación
Inminente.

¡Anulación, oh paraíso
Murmurado,
Dormir, dormir y sólo ser
Y muy despacio!

Oscuréceme y bórrame,
Santo sueño,
Mientras me guarda y vela bajo su potestad
El firmamento.

Con sus gravitaciones más umbrías
Reténgame la tierra,
Húndase mi ser en mi ser:
Duerma, duerma.

AMISTAD DE LA NOCHE

Luz por la sombra resbala.
Siempre de la luz que implores
Hay vestigios.
La noche es hoy una sala
Con sus ya humanos primores
Y prodigios.
¡Cuánto mundo nos confía
La süave
Profusión de esos ardores!
Cabe
Muy poco en el sumo día.
No luce bajo su veste
Clara, demasiado clara,
Esa multitud celeste
Que se ampara
Tras la luna y su fulgor.
Nombre a nombre, las estrellas
Resurgen en el conjunto
Vencedor.
Ellas, por sí solas ellas
Son trasunto,
Aunque brillen hoy muy poco,
De la eternidad en acto
Suficiente.
Yo la veo, yo la toco
Sin tortura de la mente
Ni agravación de actitud.
Lo eterno es lo más compacto,
Y hacia mí se precipita
Como alud.
Nada está solo de veras.
En el placer de una cita
Se reúne la ciudad

Luciente con sus afueras,
Aun bajo la soledad
Con que yo todo lo abrigo.
Casi a oscuras
—Con márgenes de aventuras
Para amigo—
O en un haz iluminado,
Todo está a solas conmigo,
Y tan acorde se siente
Dentro de un solo cercado,
Bajo esta luna sin gente,
Que hasta el suelo manifiesta
Su informe ser delicado.
Para el errante dispuesta,
Lunado el fondo sombrío,
Fluye una serenidad
En que hasta el río es más río,
Ya murmullo fiel de huerto.
La luna es una beldad.
Contemplad
Su semblante: no está yerto.
Ahora se nos convierte
—La luna no se murió—
En negación de la muerte.
Yo
Divago por ese tibio
Gris azul que me conforta,
—¡Cuánto alivio
Para la mirada absorta!—
Y acepto la invitación
A reconocer la noche:
Aquel son
Tan recalcado de un grillo,
Los siseos de algún coche
Que se desliza despacio.
¡El implacable organillo
Diminuto desafía
La majestad del espacio
Sin límites con tan terca
Valentía!

Cada vez está más cerca
De mi atención el constante
Cantar que no es un cantar.
El instante
Se resuelve en una voz.
Todo el campo suena al par,
Y hasta el carruaje veloz
Es ráfaga referida
Por el conjunto a su eje.
Con las sombras en que anida
Tanta relación se teje
La rotunda red total,
Donde queda
Mi noche tan dominada
Que ya nada
Muy nocturno entona mal.
La luna da a la alameda
Claros
Henchidos de firmamento.
Leve,
No lo espantan ni los faros
Que alumbran su propio viento.
¡Noche en amistad! Conmueve
La gracia de tantos cruces.
¿Aquellos astros? Son estas
Luces:
Hacia nosotros, modestas
A diario.
¡Con qué tímido esplendor
Se aviene ese extraordinario
Descendimiento a la escala
Fatal del contemplador!
Luz por la sombra resbala.
Siempre de la luz que implores
Hay vestigios*.

---

* *vestigios:* 'semejanzas', 'huellas'; tiene acepción teológica(San Agustín, Santo Tomás) de trazos o vestigios de Dios que se encuentran en el universo. Según J. Ferrater Mora, los escolásticos se servían de la diferencia entre 'vestigio' e 'imagen'. La primera

La noche es hoy una sala
Con sus ya humanos primores
Y prodigios.

LA VIDA REAL

I

Eres. ¡Ventura en potencia!
Más aún: estás.

        (Un brusco
Surtidor impone al viento
Su irresistible exabrupto.)

Maravilla de regalo:
Ser y aparecer —pedrusco,
Hoja en la rama, calandria,
Oreo* sobre murmullo,
Amistad por alameda,
La perspectiva de Junio.

(Para mí, para mi asombro,
Todo es más que yo.

         ¡Barullo
Magnífico!

       Si lo miras
Con amor, llega a ser mundo.)

Algo posible, latente,
Flotante, quizá nocturno,
—Entre la luna y la nada
¡Cuántas ondas, cuántos rumbos!—
Algo que prende, por fin,
En un azar testarudo
Mas libremente imprevisto
—Estupor— salta de súbito

---

palabra equivale a una semejanza lejana; la segunda, a una semejanza próxima (*Diccionario de filosofía*, II, pág. 899).
  * oreo: soplo ligero de aire.

Con fuerza tan decisiva
Que se yergue hasta su turno
Máximo: ser realidad,
Y dentro de eso tan rudo
Que es el prodigio mayor:
El universo.

       (—¡Qué lujo,
Ay, de trasfiguraciones!
—¿Y qué? ¡Si el mismo sepulcro
Mantiene lo incorruptible,
Eterniza el ser, fecundo
Sin fin!)

       Mas no basta ser.
Solo, todavía oscuro,
¿Quién no busca en la presencia
Su iluminación, su orgullo?

¡Oh forma presente, suma
Realidad! Contigo triunfo.
Contigo logro soñar
El sueño mejor, el último.

II

Apareces.
       Y en el acto,
Aun por el aire el saludo,
Me arrastras a tu destino,
Ya sensible para el curso
De mi fatal embeleso,
Fatal apenas encumbro
La mirada hacia la altura
Que habita el amor. ¡Conjunto
Real, universo en acción,
En seducción! No, no dudo.
No necesito nostalgia
Que a favor de algún crepúsculo

Desparrame como niebla
La hermosura que yo busco.
En tu claridad te adoro
Con adoración que es júbilo
Desencadenado por
Tu simple existir.

          ¡Oh pulso!
Te quiero así: misteriosa
De tan inmediata. ¡Puros
Contornos!

        Perdura aún
El enigma de un dibujo
Que rinde a su sencillez
Materiales tan confusos.
¿Quién, tú?

           Para mí, la exacta
Determinación del mucho
Soñar y el mucho esperar
Con fe lo tan absoluto:
Una absoluta existencia
Situada en el abrupto
Más allá, por donde yo
Jubilosamente irrumpo
Mientras con su acoso y cerco
Nos sostiene. ¡Qué de tumbos
Y retumbos, indomable
Vendaval! Dure el tumulto.
Así te quiero: clarísima.
¿Ves? En la verdad consumo
Todo mi ardor. Embriaga
La luz.

      Soñémonos juntos.

MESETA

¡Espacio! Se difunde
Sobre un nivel de cima.
Cima y planicie juntas
Se acrecen —luz— y vibran.
¡Alta luz! Altitud
De claridad activa.
Muchedumbre de trigos
En un rumor terminan,
Trigo aún y ya viento.
Silban en la alegría
Del viento las distancias.
Soplo total palpita.
Horizontes en círculo
Se abren. ¡Cuántas pistas
De claridad, tan altas
Sobre el nivel del día,
Zumban! ¡Oh vibración
Universal de cima,
Tránsito universal!
Cima y cielo desfilan.

CALLEJEO

No sabe adónde va.
Ni le orienta la nube
Próximo que en el cielo
Se aísla, ni conduce
Por sí mismo sus pasos.
Le impulsa la costumbre

De pisar y avanzar.
Nada tal vez más dulce
Ni de mayor consuelo
Que la tarde de un lunes
Cualquiera paseado
De pronto. No trascurre
La hora. Permanece
Con todo su volumen
Bajo la mano aquel
Tiempo sin norte, dúctil,
Propicio a revelar
Algo impar en el cruce
De unas calles.¡ Perderse,
Hacerse muchedumbre!

EL AIRE

Aire: nada, casi nada,
O con un ser muy secreto,
O sin materia tal vez,
Nada, casi nada: cielo.

Con sigilo se difunde.
Nadie puede ver su cuerpo.
He ahí su misma Idea.
Aire claro, buen silencio.

Hasta el espíritu el aire,
Que es ya brisa, va ascendiendo
Mientras una claridad
Traspasa la brisa al vuelo.

Un frescor de trasparencia
Se desliza como un témpano
De luz que fuese cristal
Adelgazándose en céfiro.

¡Qué celeste levedad!
Un aire apenas terreno,
Apenas una blancura
Donde lo más puro es cierto.

Aire noble que se otorga
Distancias, alejamientos.
Ocultando su belleza
No quiere parecer nuevo.

Aire que respiro a fondo,
De muchos soles muy denso,
Para mi avidez actual
Aire en que respiro tiempo.

Aquellos días de entonces
Vagan ahora disueltos
En este esplendor que impulsa
Lo más leve hacia lo eterno.

Muros ya cerca del campo
Guardan ocres con reflejos
De tardes enternecidas
En los altos del recuerdo.

¡Cómo yerra por la atmósfera
Su dulzura conduciendo
Los pasos y las palabras
Adonde van sin saberlo!

Algo cristalino en vías
Quizá de enamoramiento
Busca en un aura dorada
Sendas para el embeleso.

Respirando, respirando
Tanto a mis anchas entiendo
Que gozo del paraíso
Más embriagador: el nuestro.

Y la vida, sin cesar
Humildemente valiendo,
Callada va por el aire,
Es aire, simple portento.

Vida, vida, nada más
Este soplo que da aliento,
Aliento con una fe.
Sí, lo extraordinaroi es esto.

Esto: la luz en el aire,
Y con el aire un anhelo.
¡Anhelo de trasparencia,
Sumo bien! Respiro, creo.

Más allá del soliloquio,
Todo mi amor dirigiendo
Se abalanzan los balcones
Al aire del universo.

Balcones como vigías
Hasta de los más extremos
Puntos que la tarde ofrece
Posibles, amarillentos.

Mis ojos van abarcando
La ordenación de lo inmenso.
Me la entrega el panorama,
Profundo cristal de espejo.

Entre el chopo y la ribera,
Entre el río y el remero
Sirve, transición de gris,
Un aire que nunca es término.

¡Márgenes de la hermosura!
A través de su despejo,
El tropel de pormenores
No es tropel. ¡Qué bien sujeto!

Profundizando en el aire
No están solos, están dentro
Los jardinillos, las verjas,
Las esquinas, los aleros...

En el contorno del límite
Se complacen los objetos,
Y su propia desnudez
Los redondea: son ellos.

¡Islote primaveral,
Tan verdes los grises! Fresnos,
Aguzando sus ramillas,
Tienden un aire más tierno.

El soto. La fronda. Límpidos,
Son esos huecos aéreos
Quienes mejor me serenan,
Si a contemplarlos acierto.

Feliz el afán, se colma
La tensión de un día pleno.
Volúmenes de follajes
Alzan un solo sosiego.

Torres se doran amigas
De las mieses y los cerros,
Y entre la luz y las piedras
Hay retozos de aleteos.

En bandadas remontándose
Juegan los pájaros. Vedlos.
Todos van, retornan, giran,
Contribuyen al gran juego.

Juego tal vez de una fuerza
No muy solemne, tanteo
De formas que sí consiguen
La perfección del momento.

Esta perfección, tan viva
Que se extiende al centelleo
Más distante, me presenta
Como una red cuanto espero.

¡Aquel desgarrón de sol!
Arden nubes y no lejos.
Mientras, sin saber por qué,
Se ilumina mi deseo.

Arbolados horizontes
—Verdor imperecedero—
Dan sus cimas al dominio
Celeste, gloria en efecto.

Gloria de blancos y azules
Purísimos, violentos,
Algazaras de celajes
Que anuncian dioses y fuegos.

La realidad, por de pronto,
Sobrepasa anuncio y sueño
Bajo el aire, por el aire
Ceñido de firmamento.

El aire claro es quien sueña
Mejor. ¡Solar de misterio!
Con su creación el aire
Me cerca: divino cerco.

A una creación continua
—Soy del aire— me someto.
¡Aire en trasparencia! Sea
Su señorío supremo.

CARA A CARA

Lo demás es lo otro: viento triste,
Mientras las hojas huyen en bandadas.

FEDERICO GARCÍA LORCA

I

Verde oscuro amarillento,
Deslumbra un tigre. Fosfórico,
El círculo de agresión
General cierra su coso.

    Aun los cielos se barajan
    —Múltiples, bárbaros, lóbregos—
    Para formar una sola
    Sombra de dominio a plomo.

Nublado. Las nubes sitian
A las torres y cimborrios
De la ciudad, de improviso
Campestre. Se aguza un chopo
Bajo un retumbo que lejos
Se extingue, derrumbe sordo.
En el aire cruelmente
Blando se ahuman los troncos,
Y un crepúsculo a deshora
Derrama en el día golfos
De una oscuridad que pide
Luz urgente de socorro.

    Se encienden lámparas íntimas
    Que recogen en sus conos
    De resplandor esos ámbitos
    Amigos de los coloquios.

Hay una desolación
A contraluz, algo anónimo
Que zumba hostil, un difuso
Conflicto de tarde y lodo
Con su tedio, que no deja
De escarbar. Y de sus hoyos
Emergen desparramándose,
Asfixiando los enojos
Escondidos, la más fosca
Pululación del bochorno,
El hervidero enemigo
De cuantos dioses invoco.

En relámpagos se rasgan
Los cielos hasta esos fondos
Tan vacíos que iluminan
Los cárdenos dolorosos.

El agresor general
Va rodeándolo todo.
—Pues... aquí estoy. Yo no cedo.
Nada cederé al demonio.

II

¡Oh doliente muchedumbre
De errores con sus agobios
Innúmeros! Ved. Se asoman,
Míos también, a mi rostro.

Equivalencia final
De los unos y los otros:
Esos cómplices enlaces
De las víctimas y el ogro,

Mientras con su pesadumbre
De masa pesan los lomos
Reunidos del país
Polvoriento, populoso.

Las farsas, las violencias,
Las políticas, los morros
Húmedos del animal
Cínicamente velloso,

Y la confabulación
Que envuelve en el mismo rojo
De una iracundia común
Al paladín con el monstruo.

Esa congoja del alba
Que blanquea el calabozo,
Extenuación de la cal
Sobre los muros monótonos,

A la vista siempre el aire
Tan ancho tras los cerrojos,
Y en la boca —siempre seca—
Tan amargo el soliloquio.

Ese instante de fatiga
Que sueña con el reposo
Que ha de mantener yacentes,
Más allá de bulla y corro,

A los cansados, sin fin
Vacación en los remotos
Jardines favorecidos
Por aquel interno otoño...

¡Imperen mal y dolor!
En mi semblante un sonrojo
De ineptitud se colore.
No cedo, no me abandono.

III

Si las furias de un amor,
Si un paraíso de apóstol
¡Ay! me conducen —en nombre
De algún Dios— hasta algún foso,

Si el combate, si el disturbio
Me desmenuzan en trozos
El planeta y se me clavan
Los añicos entre escombros,

Desde el centro del escándalo
Yo sufriré con los rotos.
Y cuando llegue la noche,
Astros habrá tan notorios

Que no fallará a mis plantas
El suelo. Yo me compongo
Para mi soberanía
La paz de un islote propio.

¿Quién podría arrebatarme
Tal libertad? No hay estorbo
Que al fin me anule este goce
Del más salvado tesoro.

IV

Si, cuando me duele el mundo,
En el corazón un pozo
Se me hundiera hacia el abismo
De esa Nada que yo ignoro,

Si los años me tornasen
Crepúsculo de rastrojo,
Si al huir las alegrías
Revolvieran su decoro.

194

Si los grises de los cerros
Me enfriasen los insomnios
Con sus cenizas de lunas
En horizontes de polvo.

¿Se sentiría vencido,
Apagado aquel rescoldo
De mi afán por las esencias
Y su resplandor en torno?

Heme ante la realidad
Cara a cara. No me escondo,
Sigo en mis trece. Ni cedo
Ni cederé, siempre atónito.

V

Lo sé. Horas volverán
Con su cabeza de toro
Negro asomándose, brusco,
Al camino sin recodo.

Vendrán hasta mi descanso,
Entre tantos repertorios
De melodías, las ondas
En tropeles inarmónicos.

¡Que se quiebre en disonancias
El azar! Creo en un coro
Más sutil, en esa música
Tácita bajo el embrollo.

El acorde —tan mordido,
Intermitente, recóndito—
Sobrevive y suena más.
Yo también a él respondo.

En su entereza constante
Palpo el concierto que sólido
Permanece frente a mí
Con el arco sin adorno.

¿Perdura el desbarajuste?
Algo se calla más hondo.
¿Siempre chirría la Historia?
De los silencios dispongo.

¿Y el inmediato prodigio
Que se me ofrece en su colmo
De evidencia? Yo me dejo
Seducir. Ten ya mi elogio.

Entre tantos accidentes
Las esencias reconozco,
Profundas hasta su fábula.
Nada más real que el oro.

Así sueño frente a un sol
Que nunca me hallará absorto
Por dentro de algún celaje
Con reservas de biombos.

¿Marfil? Cristal. A ningún
Rico refugio me acojo.
Mi defensa es el cristal
De una ventana* que adoro.

VI

¿Mientras, el mal? Fatalmente
Desordenando los modos
Guarde en su puño la cólera,
Contraiga el visaje torvo,
Palpite con los reflejos
Cárdenos de los horóscopos,
Lleve la dicha hasta el ímpetu
Con que yo también acoso...
Necesito que una angustia

_____

* *ventana:* véase nota de pág. 92.

196

Posible cerque mis gozos
Y los mantenga en el día
Realísimo que yo afronto.
Rompa así la realidad
En mis rompientes y escollos,
Circúndeme un oleaje
De veras contradictorio.
Y en el centro me sitúe
De la verdad.
                    ¿Alboroto?
Él me procura mi bien.
Difícil, sí, lo ambiciono,
¡Gracias!
                    Continua tensión
Va acercándome a un emporio
De formas que ya diviso.
Con ellas avanzo, próspero.
¿Lo demás? No importe.
                              Siga
Mi libertad al arroyo
Revuelto y dure mi pacto,
A través de los más broncos
Accidentes, con la esencia:
Virtud radiante, negocio
De afirmación, realidad
Inmortal y su alborozo.
Para el hombre es la hermosura.
Con la luz me perfecciono.
Yo soy merced a la hermosa
Revelación: este Globo.
Se redondea una gana
Sin ocasos y me arrojo
Con mi avidez hacia el orbe.
¡Lo mucho para lo poco!
Es el orbe quien convoca.
¡Tanta invitación le oigo!
El alma quiere acallar
Su potencia de sollozo.
No soy nadie, no soy nada,

Pero soy —con unos hombros
Que resisten y sostienen
Mientras se agrandan los ojos
Admirando cómo el mundo
Se tiende fresco al asombro.

Dedicatoria final

Para mi amigo
PEDRO SALINAS,
amigo perfecto,
Que entre tantas vicisitudes,
Durante muchos años,
Ha querido y sabido iluminar
Con su atención
La marcha de esta obra,
Siempre con rumbo a ese lector posible
Que será amigo nuestro:
Hombre como nosotros
Ávido
De compartir la vida como fuente,
De consumar la plenitud del ser
En la fiel plenitud de las palabras.

II: CLAMOR

Tiempo de Historia

Dedicatoria inicial

EL ACORDE*

I

La mañana ha cumplido su promesa.
Árboles, muros, céspedes, esquinas,
Todo está ya queriendo ser la presa
Que nos descubra su filón: hay minas.

Rumor de transeúntes, de carruajes,
Esa mujer que aporta su hermosura,
Niños, un albañil, anuncios: viajes
Posibles... Algo al aire se inaugura.

Libre y con paz, nuestra salud dedica
Su involuntario temple a este momento
—Cualquiera —de una calle así tan rica
Del equilibrio entre el pulmón y el viento.

---

* *El acorde:* Luis Cernuda dedica un poema en prosa al mismo
tema en *Ocnos*.

Historia bajo el sol ocurre apenas.
Ocurre que este viento respiramos
A compás de la sangre en nuestras venas.
Es lo justo y nos basta. Sobran ramos.

Modestamente simple con misterio,
—Nada resuena en él que no se asorde—
Elemental, robusto, sabio, serio,
Nos ajusta al contorno el gran acorde:

Estar y proseguir entre los rayos
De tantas fuerzas de la amparadora
Conjunción, favorable a más ensayos
Hacia más vida, más allá de ahora.

No hay gozo en el acorde ni se siente
Como un hecho distinto de la escueta
Continuación de nuestro ser viviente:
Gracia inmediata en curso de planeta.

II

Acorde primordial. Y sin embargo,
Sucede, nos sucede... Lo sabemos.
El día fosco* llega a ser amargo,
Al buen remero se le van los remos,

Y el dolor, por asalto, con abuso,
Nos somete a siniestro poderío,
Que desgobierna al fin un orbe obtuso
De hiel, de rebelión, de mal impío,

Origen de la náusea con ira,
Ira creciente. Polvo de una arena
Cegadora nos cubre, nos aspira.
Y la mañana duele, no se estrena.

---

* *fosco*: hosco, áspero, oscuro.

Surge el ceño del odio y nos dispara
Con su azufre tan vil un arrebato
Destructor de sí mismo, de esa cara
Que dice: más a mí yo me combato.

¡Turbas, turbas! Y el mal se profundiza,
Nos lo profundizamos, sombra agrega
De claroscuro a grises de ceniza,
Alza mansión con pútrida bodega.

¿Es venenoso el mundo? ¿Quién, culpable?
¿Culpa nuestra la Culpa? Tan humana,
Del hombre es quien procede aún sin cable
De tentador, sin pérfida manzana.

Entre los males y los bienes, libre,
Carga Adán, bien nacido, con su peso
—Con su amor y su error— de tal calibre
Que le deja más claro o más obseso.

Sin cesar escogiendo nuestra senda
—Mejor, peor, según, posible todo—
Necesitamos que se nos entienda:
Nuestro vivir es nuestro, sol por lodo.

Y se consuma el hombre todo humano.
Rabia, terror, humillación, conquista.
Se convence al hostil pistola en mano.
Al sediento más sed: que la resista.

Escuchad. Ya no hay coros de gemidos.
Al cómitre* de antigua o nueva tralla
No le soportan ya los malheridos.
Y con su lumbre la erupción estalla.

Una chispa en un brinco se atraviesa
Desbaratando máquina y cortejo.
Mugen toros. El mundo es su dehesa.
Más justicia, desorden, caos viejo.

---

* *cómitre:* 'el que gobernaba a los galeotes'.

Pero el caos se cansa, torpe, flojo,
Las formas desenvuelven su dibujo,
Acomete el amor con más arrojo.
Equilibrada la salud. No es lujo.

La vida, más feroz que toda muerte,
Continúa agarrándose a estos arcos
Entre pulmón y atmósfera. Lo inerte
Vive bajo los cielos menos zarcos.

Si titubea tu espefanza, corta,
Y tus nervios acrecen la maraña
De calles y de tráfagos, no importa.
El acorde a sí mismo no se engaña.

Y cuando más la depresión te oprima
Y más condenes tu existencia triste,
El gran acorde mantendrá en tu cima
Propia luz esencial. Así te asiste.

Con el sol nuestro enlace se renueva.
Robustece el gentío a su mañana.
Esa mujer es inmortal, es Eva.
La Creación en torno se devana*.

Cierto, las horas de caricia amante,
Y mientras nos serena su rosario,
Trazan por las arrugas del semblante
Caminos hacia el Fin, ay, necesario.

Nuestra muerte vendrá, la viviremos.
Pero entonces, no ahora, buen minuto
Que no infectan los débiles extremos.
Es todavía pronto para el luto.

---

* *devanar*: 'arrollar hilo en ovillo'.

Al manantial de creación constante
No lo estancan fracaso ni agonía.
Es más fuerte el impulso de levante,
Triunfador con rigores de armonía.

Hacia el silencio del astral concierto
El músico dirige la concreta
Plenitud del acorde, nunca muerto,
Del todo realidad, principio y meta.

TÁCITO CLAMOR

(ANDALUCÍA)

En el tren, por la tarde, el verano llega a producir,
industria feroz, una como sustancia que se comunica
abrasando. Yo me ahogo.

El sol no permite ver la vida, y velando cortijos
borra perfiles. Se pierden montes en manchas. Sólo
imperan muros desde su cal. Sur.

Ni este vientecillo naciente de la ventanilla refresca,
sujeto a la onda quemante del campo, de la parada
en la estación: Averno* sin moral.

Abatidísimos, divisamos al alcance de nuestra angustia a otros que se consumen en este común calor:
catervas estivales.

Morenos por herencia, grises en la luz, pálidos
de fatiga, los trabajadores levantan la mirada y lo
columbran todo. Todo está lejos.

Ningún clamor. La tarde, que es del cielo y del
señorío, abruma a los ahora encorvados. Trabajar
es también sufrir. ¡Gran deber!

---

* *Averno*: lago en las cercanías de Nápoles, supuesta entrada
a los Infiernos.

MEDITERRÁNEO

Sobre la playa de este mediodía,
Arena o luz con oleaje denso,
Al sol que es ya cruel un indefenso
Casi-desnudo busca y se confía.

La dama ofrece entonces su armonía
De salud y hermosura en un incienso
De culto al dios solar*. (Y mientras, pienso
Cómo yo a tanta fe respondería.)

Siempre feliz, el cuerpo da señales
De la atención muy tensa que los rayos
Desde el cenit consagran a la hermosa.

Inmóvil, ella acepta las brutales
Caricias de este cielo como ensayos
De un amor mitológico a una diosa.

LOS INTRANQUILOS

Somos los hombres intranquilos
En sociedad.
Ganamos, gozamos, volamos.
¡Qué malestar!

---

* *dios solar:* comparación humorística de la dama con Leda
y Dánae, del sol con Zeus / cisne / lluvia de oro.

El mañana asoma entre nubes
De un cielo turbio
Con alas de arcángeles-átomos
Como un anuncio.

Estamos siempre a la merced
De una cruzada.
Por nuestras venas corre sangre
De catarata.

Así vivimos sin saber
Si el aire es nuestro.
Quizá muramos en la calle,
Quizá en el lecho.

Somos entre tanto felices.
Seven o'clock.
Todo es bar y delicia oscura.
¡Televisión!

DAFNE* A MEDIAS

Un miserable náufrago

Se aleja el Continente con bruma hacia más brumas,
Y es ya rincón y ruina, derrumbe repetido,
Rumores de cadenas chirriando entre lodos.
Adiós, adiós, Europa, te me vas de mi alma,
De mi cuerpo cansado, de mi chaqueta vieja.
El vapor se fue a pique bajo un mar implacable.
A la vez que las ratas hui de la derrota.
Entre las maravillas del pretérito ilustre
Perdéis ese futuro sin vosotros futuro,
Gentes de tanta Historia que ya se os escapa

---

* *Dafne:* ninfa metamorfoseada en laurel por Apolo cuando éste quiso poseerla.

De vuestras manos torpes, ateridas, inútiles.
Yo no quiero anularme soñando en un vacío
Que llenen las nostalgias. Ay, sálvese el que pueda
Contra el destino. Gracias, orilla salvadora
Que me acoges, me secas, me vistes y me nutres.
En hombros* me levantas, nuevo mundo inocente,
Para dejarme arriba. Y si tuya es la cúspide,
Con tu gloria de estío quisiera confundirme,
Y sin pasado exánime participar del bosque,
Ser tronco y rama y flor de un laurel arraigado.
América, mi savia: ¿nunca llegaré a ser?
Apresúrame, please, esta metamorfosis.
Mis cabellos se mueven con susurros de hojas.
Mi brazo vegetal concluye en mano humana.

PUEBLO SOBERANO

Plaza llena, vocerío
Solar, fusión de gentío.
    Público en tarde redonda
    No es masa que el alma esconda.

Sobre la arena está el drama.
¿A quién vencedor proclama?

Un silencio. Se condensa
Callando la tarde intensa.

Lo rojo aguarda o se mueve,
Sutil, gallardo y aleve**.

Tal muchedumbre es ya mole.
Todo se junta en un ¡ole!

---

  * *hombros:* véase nota de pág. 154.
  ** *aleve:* 'traidor'.

Por fin, ovación. Muy bien.
Suena un silbido. **¿De quién?**

Público en tarde redonda
No es masa que el alma esconda.
Aplausos. Gritos. ¿Oreja?
La unanimidad se aleja.

MUCHACHA EN CAPRI

Versión hablada
del preludio para piano
LA JEUNE FILLE QUI ABOYA À CAPRI

Aquellas vacaciones europeas se extendieron
hasta las últimas islas de cabras, hasta los
arenales y oleajes del capricho.

¡Oh Capri de cristal en el calor con el azul
batido por el rayo y el remo, todos solares y
felices de Agosto juvenil!

Capri culmina —cúpulas, torres, brillos— en
esa ociosa muchacha tan flotante o volante que
es una América del futuro.

Nadie con más ganas hablaría latín a las piedras
de Imperio: un latín que aún estuviesen reve-
lando Nueva York, Princeton.

Ésa es, ya fatigada de nadar entre nubes, de
abrazarse a deseos, de tenderse a lo largo de su
indolencia sin dejar de querer.

Ha caído la noche con más noche sobre las
callejas, así más antiguas. La muchacha va
como perdiéndose.

A solas entonces, nocturna, se dirige a quienes
comprenden un lenguaje más incógnito que un
posible latín no revelado.

Y se pone a... ladrar, y de modo perfecto, con
fuerza modulada: clemente don, cómplice de
muchas sombras, acaso hostil a las figuras.

Y se enlazan humanamente más y más ladridos
bajo aquella noche nada cínica*, que recubre
su desamparo y se agolpa en respuestas.

La muchacha preside, guau guau fraternos, la
noche de los canes profundos, capricho entre
constelaciones, Capri celeste.
¡Capri, Capri!

MUY SEÑOR MÍO

Escribo para ser el blanco**
De tus ojos y de tus lentes.
Pero no temas —¡oh, lector,
Ah, posible!— que yo te estreche
Con ruegos, anuncios, visitas
Y lecturas, erre que erre.
Nuestra relación —voluntaria,
Si surge— no sabe de leyes.
El que quiera picar, que pique,
Y el que no quiera, que lo deje.

---

* *cínica*: 'impudente'.
** *blanco*: conceptismo procedente de la poesía hispano-árabe;
papel-blanco de los ojos (dos sentidos) // tinta negra-niña del
ojo (negra).

212

DIARIO, PUNTUAL, HERMOSO

Por el insomnio la noche
Va circulando.
                    ¿No hay trabas?
Y cuanto más me extravío,
Muy lejos entre mis ansias,
Más me invade el elemento
Nocturno, que no se calma...
Hasta que a mi soledad
Avisa el toque del alba.
—¿Ya estás ahí?
                    Le conozco.
Es el pájaro de guardia.

TRÉBOLES

Dormí tan profundamente
Que el tiempo se me ha tornado
Río que sabe a su fuente.

*

La mirada de admiración
En ese tan visible escote
Cae como carta en buzón.

SUAVE ANÁHUAC

A tal altura me yergo
Sobre el tan remoto mar
Que es preciso aquí moverse
Paso a paso del afán.
Las montañas me acompasan
Con su majestad coral,
Y sobre esta cima es grave
Suavemente el mismo andar.
La Creación para el hombre:
¿Quién por menos le da más?

TRÉBOLES

Se me va charlando la vida,
Me disuelvo en conversación.
¿Claridad habrá que no pida
Su más humana irradiación?

*

No se digna escribir. Su genio
Se opone a la pluma en la diestra,
Y conversando con ingenio
Se aguanta la obra maestra.

*

Es triste, sí, que se aleje
—Él, no yo— mi dios amigo,
Y me convierta en su hereje.

RETÓRICA DE RAÍCES

(Nacimiento del Chapultepec)

Los árboles centenarios
De este bosque me descubren
El gran enmarañamiento
De sus raíces ilustres
Como si fuesen visibles
Hipérboles del empuje
Con que en la tierra se ahincan
Para erguir tal pesadumbre.
Raíces al sol, qué alarde.
Retórico ya, me aturde.

VÍA NOCTURNA

El despertar, una estación,
Y mi cuello casi torcido,
Niebla, puntos rojos, carbón.
Vaga el vivir en un olvido
Con sorda paz indiferente:
Yo no soy yo para esta gente.
¡Amables murmullos espesos
De tanto vagón por la vía
Que se sume en noche no mía
Mientras me enrosco entre mis huesos!

215

INVASIÓN

Quiero dormir y me inclino
Sin moverme hacia lo oscuro.
Pero el magín es camino
Que traspasa todo muro.

Subiendo está el sol naciente.
Oigo el trote de un caballo.
Despiertan ojos de puente.
No quiero buscar y hallo.

El caballo se me ha ido
Por su vía, tan ajena.
No escucho. Me roza el ruido
Que la luz desencadena.

Sueño, reposo, fatiga.
Caballo, coche, campana.
Vivir no es soñar. Que diga
Si yo finjo mi ventana*.

Ya el caballo es pensamiento.
En mí trota y trota fuera.
La ventana da el aliento
De una invasión verdadera.

---

* *ventana:* véase nota de pág. 92.

MAR QUE ESTÁ AHÍ

(SALEM, MASSACHUSETTS)

A Ruth Whittredge

El mar. ¿El mar? Estable, me confía
Sosiego a estilo de laguna
Para que todo se reúna
Con limpieza en la sólo insinuada melodía.

Las conchas y los caracoles
Bajo mi pie
Me insinúan un no sé qué,
Desde tan abajo, divino.
¡Cómo atraen los tornasoles
Varïando hacia su destino!

Si ese oleaje lo es apenas,
Esta luz difunde unos grises
Casi azulados hacia antenas
Con mensajes de otros países.

El mar lanza sus olas más allá
De sus visibles tumbos inmediatos,
Y sin cesar me rompe mis retratos
Del mar. No sé quién es
Ni adónde ahora va.
Todo se revuelve al revés.
Del azul reposo robusto
Se desparramará
Verdor amoratado de vaivén a disgusto.

Torvas veleidades marinas:
Aquellas plantas ya de bronce,
Tersos los ramos a las once,
A las dos tumultos de espinas.

217

Pero el mar está ahí, buen compañero,
Sencillo, cotidiano
Con su reserva de verano
Para quien lo divisa, forastero,
Desde sus vacaciones más pueriles.
¡Memoria en la mirada
Que, si no recordase, ya no vería nada
Frente a un presente descompuesto en miles
De trozos sin perfiles!

Pero el mar huye bajo el muro
De su horizonte hacia otros mares,
Infiel, caprichoso, perjuro,
Creando y negando sus lares.

Mar clemente, mar protector,
Mar iracundo,
Mar criminal:
Yo con mi amor
También fecundo
Tu abismo de Venus y sal.

AIRE CON ÉPOCA

El aire en la avenida
Se ensancha hacia un espacio
Donde se nos inscriben —fugazmente—
Humos, y serpeando forman letras
Que a todos nos anuncian
Algo con ambición de maravilla.

Comercio, magia, fábula:
En los escaparates nos seducen
Nobles metamorfosis.
La luz es tan veloz
Que un rayo poseído
Nos basaría para llegar a...

Nada persiste lejos.
Un avión arroja a nuestra oreja
Rumores de motores. ¡Rutas nítidas!
Bajo tales poderes
El Globo es una bola bien jugada.
Muchos, los juegos. La pasión aprieta
Compacta multitud en ese estadio
Pueril,
Y jugando se asciende hasta las nieves
De blancura feroz
Sobre sus picos vírgenes.

Nada es ajeno al hombre:
Abrazo planetario.
«La luna está muy cerca...»
¿Algún fin de semana en el satélite?
¿O en Marte?
Junto a las nubes leo: Todo es ya posible.

Por alta mar, redondo el horizonte,
Van volando triunfantes radiogramas
Sin proeza, sin énfasis.
El aire nos trasmite
La historia del minuto.
¡Hoy, hoy!
Un hoy real, muy rico,
Más fuerte que el ayer, de pronto pálido.
La existencia se alarga y te saluda,
Ninfa Penicilina,
A la cabeza de tu coro ilustre,
Coro de salvación.

La edad.
            ¡Qué joven, sólo cincuenta años!
Y en un otoño con las hojas secas
Cayeron ilusiones —y sus barbas.
Rasurados semblantes
Mandan, se nos imponen.
La vida se desnuda. Los agostos
Descubren

Playas, pieles gozosamente olímpicas.
Leo sobre las olas:
Airea tu vivir. Posible, todo.

Las olas dicen... Algo me proponen
Susurrando o gritando alrededor
Infinitos agentes.
Productos y políticas
Me invaden, me obsesionan,
Me aturden
Y se me enredan entre pies y oídos.
¡Socorro!
Van fundiéndose en masa
De alelamiento muchos
Inocentes. Y, dóciles,
Sonríen,
Dispuestos a comprar, a bien morir.
Creer es siempre dulce.

Se elevan edificios
De casi abstractos bloques,
Se vive entre papeles
Con sellos. (Cinco las fotografías
De cara,
Y cinco de perfil. ¿Soy de los malos?)

Quieren flotar ideas
Entre la luz y el viento. Mala suerte:
Se me desploman sobre mis dos hombros.
Tropiezo con un «... ismo».
Salientes, más allá,
Otros «ismos» atacan
A la vez, importunan,
Estorban. Se me estrechan,
Aunque siempre futuros, los caminos.
Leo en el aire: Nada es imposible.

«Libertad» suena a falso
Con retintín ridículo.
Hay dogmas entre bombas. ¡Dogmas, bombas!

Una sola doctrina
Por entre los cadáveres se erige.
Entre las azucenas opiniones
Se mustian, olvidadas.
Hay campos dolorosos
En espirales de concentración.

Entrañas estremece,
Ante los impasibles comadrones,
La gesta maternal.
Yo espero. Toda afirmación me afirma.

Y mientras, esos átomos...
Entre los brillos de la calle vaga
Sin figura un tormento.
¿Qué señas nos esbozan esas nubes?
¿Se trata de vivir o de morir?

EL VIENTO, EL VIENTO

¡Aires que se precipitan
Ciñéndome, conduciéndome,
Yo arraigado, por los aires!

Viento, viento, viento, viento:
Tú me inventas, yo te invento.

El viento en la madrugada
Sabe a frescura de rada*.

El viento de Nueva York
Es su río en ascensor.

El viento de primavera
Me crea lo que no era.

---

* *rada:* 'ensenada que puede servir de puerto natural'.

El viento dice en Sevilla
Que es verdad la maravilla.

El viento por el verano
Regala el mundo a mi mano.

El viento en la noche oscura
Sospecha infinita anchura.

¡Amanacer, manantial,
Imposición de una fuente
Que fluye con esperanzas
Y pasajes y confín!

El viento de mediodía
Canta que la Tierra es mía.

El viento irrumpe en Oaxaca,
Pero un hombre va y lo atraca.

El viento de otoño arrumba
Las hojas sobre su tumba.

El viento frente al poniente
Nada triste me consiente.

El viento en la noche clara
Más con lo oscuro me ampara.

El viento del Escorial
Sueña un granito inmortal.

Viento en este pensamiento:
Tú me inventas, yo te invento.

¡Aires que se precipitan
Ciñéndome, conduciéndome,
Yo arraigado, por los aires!

DOLOR TRAS DOLOR

I

De súbito,
Dominando una masa de ciudad
En calor de gentío,
Surge con atropello
Clamante, suplicante,
Gimiente,
Desgarrándolo todo,
La terrible sirena.

            ¿Qué, qué ocurre?
¿Quién está agonizando
Muy cerca de nosotros, ahora mismo?
¿Dónde el mal, sus revólveres, sus llamas?
La sirena se arroja,
Va tras la salvación,
Con apremiante angustia
Se impone.

Pasa hiriendo el minuto:
Alarido brutal, que nos concierne.
Pide atención a todos sin demora
La alarma, tanta alarma.
Y un dolor invasor ocupa el ámbito
De la calle, del hombre.

II

Suena, suena el lamento y no concluye
Jamás.

Lamentándose cruza quien padece
Dolor,

Un dolor siempre injusto,
Aplicado con saña
—Absurda saña y seña del azar—
A destruir el ser y su entresijo
De afirmación divina.

Y el dolor va aguzando
Sus bestias,
Y entre garras y babas repugnantes
Descompone, deforma,
Reduce a torvo apoyo de la crisis
El cuerpo del enfermo y con escándalo
Se le derrumban muchos equilibrios.

Dolores y dolores
Pérfidos, eficaces desde minas
Remotas,
O de repente brutos,
Bajo las armas de unos enemigos
Que serán victoriosos.
Dolor en esa pulpa
De nuevo mancha derramada, magma,
Dolor y su aguijón inquisitivo,
Su fijeza perversa,
Dolor hasta locura.

Y el loco,
Abandonado a soledades ínfimas,
Por entre sus barrotes,
Allá en la Sinrazón
Y su gritado espanto.

Y esos casi ya locos, que deliran
A fuerza de razones,
Ciegos bajo su luz,
Desesperados ante el mundo inerte
Que resiste al delirio de una lógica.

Allá, muy dentro de amorosa cárcel,
Ese que así aprisionan tantos celos:
Visiones en el lóbrego vacío.

Dolor de quien persigue
Sufriendo con su víctima.
Y la cólera estalla vanamente
Contra visible muro:
La reserva del mísero perdido,
Refugiado muy lejos
Allende las torturas.

Aquél se indigna tanto
Que el curso enronquecido de su voz,
Inútil,
Se extingue a ras de tierra.

Esos otros se callan.
Su talante paciente
Se erige acumulando una aflicción
Sin alivio expresivo.
Saliva
No acude ya a la boca
Del recién prisionero,
Sin nadie en el montón del calabozo,
Remotísimo siempre
Desde sus lontananzas de Sahara:
Calabozo de arena sofocante.
Para el quejido, tácito,
No hay cauce de consuelo,
O tal vez muy profundo
Durante aquellas horas aterradas,
Hundidas.
      ¡Una noche más!
                  Se espera.
Nuestro espíritu asciende, mira abajo,
Donde todo se mezcla y nos encumbra,
Firmes entre unos puños salvadores,
Dentro de pena y vida consumada.

III

Marcha el coche, veloz,
Tajante,
Abriéndose camino
Con tal celeridad que es ya congoja.

Melodía agudísima
Se ahila refinando
Su precipitación por amarillos
Que se distienden, se disparan, braman,
Y todos los clamores
Lanzados o posibles
Son un solo clamor en que se yerguen
—Un solo monstruo al fin—
Todas las criaturas.

A toda la ciudad
Recorre por la entraña
De cimientos, olvidos,
Tinieblas
Algo que escalofría,
Común.

Una red hay, total, de nervaduras.
Se conmueve la red.

IV

Campo de humillación,
De concentrada humillación, de agravio
Completo
Contra la carne, contra la persona.
Se ahincan las agujas, las injurias
Planeando una extrema
Degradación del alma en su retiro.
Entre aquellos alambres
El lento asesinato va extendiéndose

Por cámaras
De gas y de razón,
Y los ayes son humos
Frente a nuestra vergüenza.
Contemplad esos humos nunca extintos.
Siempre están elevándose.

Los aviones manchan el espacio
Con éxito sonoro.
Crujen y se desquician
Figuras de follajes, de edificios,
De gentes: una sola
Multitud esfumada
Bajo las explosiones del estudio,
Entre los fuegos del entendimiento.
La Tierra arde en principios,
En cruces
Y choques de intereses. Ruinas, ruinas.

Hay fábricas
Que muchas manos mueven a compás.
¡Los números!
Mentales, no se ven
Mientras ejercen su potencia: mandan.
Sin el empuje de una vocación,
Muchos, muchos laboran.
Pequeños se columbran los fanales
Cristalinos, arriba, directores.
¡Crisis! Arrecia, cubre Continentes.

Clamor en el silencio
De los más miserables.
Nada, nada: ni mano en servidumbre
Ni ofrecido sudor.
Pan es sólo mendrugo.
Lecho es sólo intemperie sobre losas
Nocturnas de arrabal.
Borrando sus contornos aquel orbe
Retrae forma y dádiva.
Realidad, no, materia

De anulación, de asfixia
Para el pobre, solemne,
Gusano ya en andrajos con gusanos.
De ese amontonamiento
Se levantan miradas. Ay! Perforan
Todos los paraísos.

No hay surtidor más alto
Que la gran injusticia: funde estrellas,
Apaga los destellos más felices.
Del oprimido más sumiso parte
Sin temblar una voz que todos oyen,
Si no todos escuchan.

Y la sirena silba.
Rauda tribulación
Modula su plañido
Con un retorno que nos va doliendo
Más, más.

Sufre el amor que es sólo amor y dicha,
Y desde el odio sufre quien lo asesta.
Y ese envidioso: roe y se corroe.
Y los llamados sufren, no elegidos.
(Llamó algún sol cruel.)

Y ese Yo, tan mayúsculo
Que a su propia cadena se condena,
Y ése que de su espejo nunca sale.

Dolor en el vacío de sí mismo.
Y en el otro que toca con las manos
El vacío tangible
Que su mente descubre:
La vida,
Nauseabunda vida vomitada.

Y los remordimientos, la conciencia.
El hombre frente a Dios. Sin Dios, el hombre.

Dolor perversamente deleitoso.
Dolor que duele, serio,
Hijo de azar, de mal,
De creación y destrucción, perenne:
Alzando las columnas de sus iras
Pide su libertad
De ser entre los seres,
Sin cesar soñadores de salud
Entre asedios de injustos.

Dolor en brega siempre
Contra ese inicuo No.

Dolor en que lo humano se aquilata
Mientras el hombre crece.

Dolor de redención sobre las cruces.

Aún gime la sirena...
Dolor y su clamor bajo los cielos,
Que a toda la ciudad
Abarcan y cobijan con su bóveda.

SUEÑO COMÚN

Aunque enormes las casas, de más bulto
Son los sueños a coro en esta hora
De tanta paz que a coro se demora
Sobre la sien del niño y del adulto.

No hay cólera que sienta ya el insulto
Justificado frente a quien implora
Con semblante de paz serenadora
—El dormido no es vil— nocturno indulto.

Este sueño común de muchos seres
—Humanos, vegetales, animales—
Crea, por fin, la paz tan deseada.

Cuerpo tendido: todo en paz te mueres
Negando con tu noche tantos males,
Rumbo provisional hacia la nada.

LUGAR DE LÁZARO

I

Terminó la agonía. Ya descansa.
Le dijo adiós el aire. Ya no hay soplo
Que pudiese empañar algún espejo.
No, no hay combate respirando apenas
Para guardar el último vestigio*
De aquella concordancia venturosa
Del ser con todo el ser.
               Vencido el cuerpo
A solas su materia abandonada,
Carne tan triste como un triste bulto
Que bajo el sol no sabe ni sabrá
—Tan opaco— de luz penetradora.
Sin la perduración arisca de la piedra,
En una piedra el cuerpo va trocándose.
¡Ay! Se relajará, montón futuro,
Montón indiferente y disgregado,
Tierra en la tierra o en el aire. Muerto.
De repente, lejano. ¿Dónde, dónde?
El cerco doloroso de los vivos
A un ausente rodea. Yace alguno
Que ya no es él: traición involuntaria.
A través de la muerte no hay posible
Fidelidad. El cuerpo todavía
Mantiene una figura que se aleja,

---

* *vestigio:* véase nota de pág. 181.

Que así no es de ninguno. Sola, sola.
Hay que cerrar los ojos sin mirada.
¡Oh cadáver, oh siempre el más extraño,
Tan inmediatamente extraño a todos!
El inmóvil se sume en su fijeza,
Muy dura la nariz y sin memoria
Todo el semblante que aún vibraba
Cuando... No hay medida común para esa
Calma sin tiempo y la inquietud variable
De estas horas —las únicas— en curso,
Trémulas entre manos de viviente.
¿Qué es el orbe ante un Lázaro partido?
El alma a solas va.
                        Se despereza,
Gris, un refugio de temblor cansado.
Le preside la paz en sombra de una
Lejanía que intuye acaso el muerto.
Nubes serán... No, no lo son. ¡Girones
Suaves! Pero ¿son suaves? No se palpa
Nada. ¿Qué existe fuera? Fuera, ahora,
Alcanzar el espacio es muy difícil.
¡Si se determinase una presencia!
Entre los bastidores más borrosos
Flota mal el presente de aquel mundo.
¿Presente? Se insinúan los presagios
De no se sabe qué ulteriores fondos.
Algo sigue: conciencia sí se salva,
Conciencia de algún término imposible
De eludir o negar.
                        ¿Y quién, consciente?
Alguien —Lázaro— sabe. ¡Qué sorpresa,
Llegar hasta sí mismo en ese apuro
Catastróficamente a solas simple,
A solas sin los huesos, sin la piel,
Sin compañía corporal, sin habla,
Nada más un espíritu en su espíritu!
Soledad. Monstruosa, ¿daña, duele?
No habrá dolor así.
                        Perdido, todo.
Y perdura —perdura todavía—

Este no recobrarse hacia su forma,
Lázaro apenas siendo y recordándose
Para sentirse mínimo en un borde,
Harapiento despojo de un pasado,
El difunto afirmándose principia
Por descubrir carencia. ¡Soledad
Hacia dentro del alma inhabitante!
Inhabitante ahora —si es «ahora»—
De su propio reducto, yerra, busca
Sin límite ni signo, sin oriente.
En su nombre se busca el que fue Lázaro,
Y entre las tinieblas, entre las tinieblas
—¡Oh seno de Abraham!— se identifica,
Informe, tan ex-Lázaro por Limbo,
Morada de neutrales y de justos,
Y anulado, resiste: pura sombra
De ningún sol. El muerto vivo asciende
—O desciende, ni rumbo ni altitud—
Por aquella región desmemoriada.
¿Qué le importan a Lázaro la Tierra,
Los hombres?
                          Tan ajeno es ya lo ajeno
Que se hunde, se extingue en el olvido.
Fatal naufragio oscuro. Nadie llora.
Todo queda entre zarzas corporales.
Todo falló entre el polvo y las pasiones.
¡Más Acá inasequible! Ni querencia.
La Eternidad devora los recuerdos,
Las raíces manchadas de mantillo,
Toda huella de tráfagos, de pasos:
Muertos quizá los vivos para el muerto,
Espíritu entre espíritus de justos,
Hombres ya no, potencias preparadas
A plenitud celeste. Sobre el suelo
Del Globo —diminuto, sin matices,
Sin relieve asidero ni horizonte—
Discurren las hormigas, los parlantes
Que ignoran casi siempre a los ausentes,
Muy poco entretejidos a las mallas
De este afán, esta luz, este follaje.

¡Oh vida y su desliz entre suspiros
De los que trascurriendo se entreviven!
Lázaro se conforma.

              ¡Qué pureza
Terrible, qué sosiego permanente,
Espíritu en la paz que aguarda al Hijo!
El Hijo va a venir. ¿Le espera Lázaro?

II

El Señor decidió entonces
Asistir al tan borroso.
    —Mucho duerme nuestro Lázaro.
    Yo despertaré a mi amigo.
Al Hijo del Hombre siguen
Los que le siguen en todo,
Y también los errabundos
Sin fe, compasión ni arrojo.
A Betania* se dirigen,
Donde Lázaro está solo
Por entre fajas y vendas
Que le pusieron los otros,
Libres en aire con luz,
Luz desde aflicción a lloro.
Marta se aproxima, fiel,
A quien preside el reposo
—O la inquietud— de los muertos,
Y se le esclarece el rostro.
—Señor, lo que a Dios rogares
Dios te lo dará en su colmo.
    —Resucitará tu hermano.
    Hacia ti vendrá conmigo.
    Yo soy la resurrección.
    Quien crea en Mí con ahinco
    No morirá para siempre.
    Soy vida, verdad, camino.
Habla al corazón el Hombre,

---

* *Betania*: aldea de la antigua Palestina, cerca de Jerusalén.

Y los pies remueven polvo
De una carretera blanca
De caliza y tarde a plomo.
María llegando está
Con los viejos y los mozos
Y ese grupo de gemidos
Que fortalecen el fondo
De un duelo a punto de ser
Convertido en gran asombro.
Marta, María, las gentes
Lloran entre sus sollozos,
Y el Hijo del Hombre llora
Con un llanto silencioso.
—Cómo le amaba, se dicen,
Conmovidos, todos prójimos.
—Ven, Señor, murmura un viejo.
El Señor domina el corro
De la expectación y avanza
Lentamente hacia el ahogo
De aquella cueva en que dura
Lázaro el que fue, ya poco
Lázaro, forma sin alma,
Apenas forma en acoso.
El Hijo del Hombre pide
Que se destape aquel hosco
Recinto nauseabundo.
Cuatro días va en los hombros*
De la tierra ese cadáver,
Rumbo a su final destrozo.
Y exclama el Hijo del Hombre,
Al cielo alzando los ojos:
    —Gracias, Padre. Tú lo eres.
    Gracias porque me has oído.
Y clamando hacia el sepulcro:
    —Levántate. Ven tú mismo.
Entonces el sepultado
Sale de su propio horror,
Prieto de cabeza a pies

---

* *hombros*: véase nota de pág. 154.

Entre blancuras, en pos
De la sagrada palabra
Que exige resurrección.
Palabra que eternamente
Lanzando está aquella Voz
—Eternamente suprema
Sobre deidad y varón—
A los hijos de los hombres
Necesitados de amor.
Amor tan ineludible
Como el resplandor del sol
En mediodía más fuerte
Que la desesperación
Del hombre a caza del hombre,
Sin vislumbrarte, Señor:
Para todos esperanza
De plena consumación.

III

Lázaro está ya siendo el nuevo Lázaro
Después de su aventura.
Con modestia sonríe entre los suyos,
A quienes nada tiene que contar.
¿Supo? ¿Qué supo? ¿Sabe?
Lo sabe sin palabras,
Sin referencias a comunes términos
Humanos.
¿Preguntan? Nada dice.

Trastorna regresar de los peligros,
Emerger de catástrofes.
Pero vivir es siempre cotidiano,
Y volver a vivir se aprende pronto.
Volver a respirar
Es la delicia humilde.

En la ventana Lázaro
No representa su papel de ex-muerto.
Aquí está, natural,
Entre Marta y María,

235

Sin palidez sublime,
Lázaro de trabajos y ajetreos
En este hogar que le conoce mucho,
Que le aclara y sostiene con dulzura
De apoyo y compañía.
No hay mayor entereza:
Ser en pleno —con todas las raíces—
Por entre los vocablos que son patria:
Estas calles y calles de rumor
Que es música.

Y la voz de María,
Y el silencio de Marta,
Que se escucha también,
Y pesa.
Todo es sencillo y tierno
Cuando las dos mujeres
Dirigen al hermano una atención
Quizá ya distraída entre costumbres.
La casa,
Y en la casa la mesa,
Y a la mesa los tres ante su pan:
Volumen de alegría
Común sobre manteles
O madera de pino.

Ni solo está a menudo nuestro Lázaro
Ni busca soledad para su alma,
Dichosa de sentirse dependiente
Del prójimo.
Con él se le revela
Su corazón de Lázaro,
Así se reconoce. Conviviendo
Con figuras amadas
Se le ahonda su hombría:
Hombre en esta Betania de su amor.

Gozo de estar allí,
Allí, sobre aquel suelo recorrido
Por los pies y los ojos que recuerdan,

Bajo el árbol en sombra,
Sombra tan conversable,
Frente a la flor que desde lejos huele.
Aquel olmo de abrazo mantenido,
El ciprés por su fila,
Sosiego siempre del contemplador.
Y como una sorpresa los ataques
De jazmín, de azahar:
Aroma con un fondo palpitado,
Tan íntimo,
De tardes con jazmín, con azahar,
Vivas en emisiones instantáneas.

Sin ninguna conciencia de placer
—Continua operación, la más diaria—
Lázaro se abandona a la corriente
Del vivir incesante,
Y siempre al despertar
Se le renueva la viril frescura
De un sol en viento sobre un agua en curso.
Es persuasivo el trato
Con esas sucesiones
De caudal trasparente.
Y Lázaro circula
Según
Su justeza espontánea,
Humildemente a gusto:
Interior al rincón que le dio el Padre.

En el rincón, el suelo
De arcilla
Que, roja, tanto alegra al caminante,
O a quien la siente sin pasar camino
Como Lázaro ahí,
Sentado sobre un poyo
De piedra,
Amiga de su dueño fatigado,
O nada más tranquilo,
A orillas de la hora que trascurre.

Hora que, por fortuna,
También se escapa al que resucitó,
Buen navegante por su propio río,
Acomodado con su ser fugaz
Al modo pasajero,
Ondas, canas, adioses.
Y este raudo crepúsculo,
Actual y ya extinguiéndose
Por los espesos rayos que se exaltan,
Se esfuman
Ante Lázaro erguido.

Todo es diario con prodigio oculto.
Inquietud no suscita aquel viviente
Que estuvo en sepultura,
Ni él mismo se amanera
Porque él es quien ha vuelto
De la profundidad.
Lázaro, sin asombro perceptible,
Asume
Fatalmente un vivir
Donde Lázaro es Lázaro
Sobre días y días
Terrestres, fugitivos.

Días a salvo entre las dos hermanas:
Esa ternura que jamás se expresa,
Que los retiene juntos.
Sin pompa,
Con los tan habituales compañeros,
El Hijo,
Su decir, su callar,
Su Gracia.
Todo va entretejiéndose en la red
De arrugas
Adonde va a parar
El tiempo de aquel hombre:
Tiempo bien esculpido,
El semblante de Lázaro
Paciente.

Y Lázaro, tan próximo,
A pesar de aquel lúgubre descenso,
Lázaro sin leyenda
Visible,
Ya poco recordada,
Saluda, se detiene,
Acaricia a ese chucho
Que de pronto le atrae,
Labora,
Reza en el templo, canta.
Así del todo Lázaro:
Terrenal criatura de su Dios.

A veces,
En una suspensión de la faena
Dialogando consigo,
Sin dormir sobre el lecho
De sus noches, a veces largas, claras,
Lázaro va hacia atrás,
Se hunde.

De paz no goza el hombre que recuerda
Para sí, para dentro, lo indecible.
Único en el retorno de ultratumba,
Se interroga, compara, sufre, teme,
Se encomienda a su Dios,
Suplica.

IV

Lázaro

A tu grandeza rendido,
Aquí tienes a tu siervo
Siempre atónito, Señor,
Ante el milagro: lo veo

Como lumbre que no acaba
De causar deslumbramiento.
Aunque no lo advierta el mundo,
Privilegiado me yergo
Frente a ese mundo que ignora
Cuánto me enseñó un silencio.
¡Silencio atroz! Estos ruidos
En mi vecindad dispersos
Para mí suenan ahora
Sobre aquel fondo secreto
Con relieve de nublado,
Que sin cesar considero,
Titubeante.

                Señor:
El tumulto de esta feria
Va por el oído al alma
De tu siervo y se me alegra
Todo el ser cuando la aurora
Vuelve a descubrir la tierra,
Y en el rocío del prado
La niñez más frágil tiembla.
Si el viento de la mañana
Sopla entre el sol y la hierba,
Mi alegría asciende a Ti,
A Ti que todo lo inventas.
Eres Tú quien me regalas
Rebullicios de riberas,
Y bajo móviles sombras
Amor a esta vida entera.
Yo debo a los caminantes
Atezados muchas nuevas
De los países que Tú,
Señor, a la vez contemplas.
Pero sólo aquí me ahinco.
Mi centro es esta calleja
Donde tu siervo, tu Lázaro
Pobre es Lázaro de veras.
Entre la mente y la piel,
Mi fervor y mis flaquezas,

Y gracias a tantas formas
Firmes que se me demuestran,
Soy —porque estoy.

                Yo aquí soy
Yo, yo mismo: carne y hueso.
Nada perderé ¿verdad?:
Cuando realice de nuevo
—¡Segunda vez! —el gran viaje,
Para mí ya de regreso,
A patria definitiva.
Del Hijo todo lo espero.
Habré de resucitar
Con mi espíritu y mi cuerpo:
La promesa ha de cumplirse.
Y si quieres, en el cielo
Donde al fin...

            Perdóname.
Un pecado, sí, cometo,
Y en este mismo segundo
Me punza el remordimiento.
Señor, lo sé. No es aquí,
Es Allí donde está el reino
Que Tú reservas al hombre
Destinado a ser perfecto
Gozador de la visión
Divina. Yo la deseo,
Yo.
        ¿Yo? ¿Quién?
                    ¿Este Lázaro
De esperanzas y de esfuerzos
Que entre suspiro y suspiro
Respira con un aliento
Forzosamente apegado
Sin opción al aire, dentro
De una atmósfera con ríos,
Y con montes y con brezos,
Y —pareciéndose a mí—
Con muchachos y con viejos

Que saben resucitar
Cada mañana?

                    Si fuera
Yo habitante de Tu Gloria,
A mí dámela terrena,
Más estíos y más bosques,
Y junto al mar sus arenas,
Y en los pasos inclementes
Fuego: que chasque la leña.
Si por tu misericordia
Quedara de Ti suspensa
Mi dicha, Señor, y el tiempo
No me hiciera y deshiciera,
¿Qué impulsaría a mis manos,
A mi carne resurrecta,
Cómo sería yo aún
Este que contigo sueña,
Mortal? ¿Mi ser inmortal
Sería mío? Vergüenza
Me aflige porque no puedo
Ni pensar tu Vida Eterna,
Y humillado ya me acuso
De ofuscación, de impotencia.
Que la sacra excelsitud
Como una Betania sea,
Y la bienaventuranza
Salve las suertes modestas
En que un hombre llega a ser
El hombre que Tú, Tú creas
Tan humano.

                    Me equivoco,
Señor. Yo no columbré
Con suficiente despejo
Sino lo que tu Israel
Va atesorando en las cámaras
Profundas de nuestra fe.
Jamás remoto, perdido,
Tu siervo sigue a merced

De tu diestra, de tu rayo.
Sólo creo en tu poder,
Y no quisiera fiarme
De mi ansiedad, de mi sed,
De esa torpísima angustia
Que esconde mi pequeñez,
Muy desgarrada. Mi sitio...
Es este donde soy quien
Soy mientras hacia los cielos
Me empuja, casi cruel,
Una exigencia de cumbre,
Sumo lugar, sumo bien,
La revelación del Hijo,
Y el alma se va tras Él.
Que su luz sea mi guía.
Quiero en su verdad creer.

ALBA DEL CANSADO

Un día más. Y cansancio.
O peor, vejez.
        Tan viejo
Soy que yo, yo vi pintar
En las paredes y el techo
De la cueva de Altamira.
No hay duda, bien lo recuerdo.
¿Cuántos años he vivido?
No lo sabe ni mi espejo.
¡Si sólo fuese en mi rostro
Donde me trabaja el viento!
A cada sol más se ahondan
Hacia el alma desde el cuerpo
Los minutos de un cansancio
Que yo como siglos cuento.
Temprano me desperté.
Aun bajo la luz, el peso

De las últimas miserias
Oprime.

   ¡No! No me entrego.
Despacio despunta el alba
Con fatiga en su entrecejo,
Y levantándose, débil,
Se tiende hacia mi desvelo:
Esta confusa desgana
Que desemboca a un desierto
Donde la extensión de arena
No es más que cansancio lento
Con una monotonía
De tiempo inmerso en mi tiempo,
El que yo arrastro y me arrastra,
El que en mis huesos padezco.
Verdad que abruma el embrollo
De los necios y soberbios,
Allá abajo removidos
Por el mal, allá misterio,
Sólo tal vez errabundos
Torpes sobre sus senderos
Extraviados entre pliegues
De repliegues, y tan lejos
Que atrás me dejan profunda
Vejez.

   ¡No! No la merezco.
Día que empieza sin brío,
Alba con grises de enero,
Cansancio como vejez
Que me centuplica el tedio,
Tedio ¿final? Me remuerde
La conciencia, me avergüenzo.
Los prodigios de este mundo
Siguen en pie, siempre nuevos,
Y por fortuna a vivir
Me obligan también.

     Acepto.

AQUELLAS ROPAS CHAPADAS

Aquellas ropas chapadas
JORGE MANRIQUE

Me puse a recordar. Aquella infancia...
Infancia tan ajena,
De aquel niño que fue, ya evaporado,
Ahora sólo nube de recuerdo,
Y no arriba, flotante:
Un vapor interior
Al alma
Perdura entre las fibras
Que ya son alma y tiemblan.

Un niño
Tiernamente asomado al universo
Que responde al saludo «Buenos días».
Un niño a quien esculpen
Con una lentitud autoritaria
Los vocablos de un mundo.
Y todo,
Nuevo, descubre forma,
Llega a ser la nombrada realidad.

Eran jardines. Juegos requerían
Boscajes,
Entonces muy remotos.
Y por allí, la Fuente de la Fama,
La Alameda de un Príncipe.
Paseos conquistaban San Isidro,
Las Arcas Reales, y entre los dos puentes,
Río famoso por su mansedumbre.
Y las tardes alzaban su amarilla
Trasparencia, que el sol

245

De algún invierno sometía a temple
De otoño.

(¿Era así o la memoria
Lo columbra allá lejos,
Éxtasis de linterna en rayo inmóvil?)

Tardes de infancia. Mágica palabra:
Merienda.
(...Y también mantecados de Portillo.)
Ilusión convertida en efectivas
Fruiciones
Sin casi paladeo, por asaltos
Rapaces.

Aquel niño revive.

(¿Imágenes de espejo
Serán
Como al través de sorda
Clausura
Bajo focos de noche iluminada,
Seducción de un acuario?
¿Todo será leyenda?)

La verdad sostenía aquel hechizo,
Entre reales vientos,
Con un calor viviente.

Iglesias. Devociones en capillas.
Efusión de ternura prosternada,
Rendida a glorias de radiantes héroes
Piadosos.
Y la inmortalidad es luz sin fin.

Los buenos a la sombra de un amor
Respiraban. El padre y sus trabajos,
Jehová que está allí para nosotros.
La madre, verdadera siempre, siempre.

Junto a los hermanillos se convive
La intimidad enorme de la casa.

Y la dulce figura del maestro,
Que tan humildemente comunica
Su ·claridad de santo franciscano*.

Infancia. ¿Viva, muerta? Viva y muerta.
Por eso, conmovido, yo la evoco.

Trascurrieron las horas
De aquel raudo pasado
Que de pasar no acaba:
Fuera de mi atención se perpetúa.
Y de pronto el recuerdo,
Tal vez por algún roce
Casual
Reanimando a difuntos
Como si nada más los despertase,
Me repone en su atmósfera
—Con aquel palpitar
Dentro de mí salvado—
Los seres tan perdidos,
La luz de aquellas tardes
De octubre
Que yo contemplo aquí,
Nostálgico a su orilla.

Se insinúa una música. La oigo
Como un canto indistinto del silencio
Mientras resurgen, tácitas, ingrávidas,
Aquellas no ya vidas
A la vez en su instante más vivaz
—Yo también lo comparto—
Y en un tiempo concluso,
Que esta resurrección devuelve a un aire
Traspasado de sol. El sol me alumbra

---

* *santo franciscano:* don Valentín Alonso, primer maestro en aquella Valladolid de la infancia.

Lo que vive no siendo en la frontera
Más temporal, muy próxima a las lágrimas.
Ahí
Siento ahora inmortales
A los que sé yacentes.

A TODO CORRER

Pasan huyendo los trenes.
Huyen de su violencia.
El ruido forma cadencia.
Se igualan males y bienes.

Oleaje removido
Por un vaivén de clamores.
«Nunca llores, nunca llores»
Dice la rueda del ruido.

Mece el dulce traqueteo.
Como dulzura acompaña
Tal velocidad. Su hazaña:
La tierra veloz que veo.

Horas se nos van de prisa,
Hay sendas que son arrugas,
Los ríos discurren fugas,
El hielo es agua sumisa.

Corro, corro con el ruido,
Y arrullándome el barullo
Se me sosiega en murmullo.
Todo marcha hacia su olvido.

MUERTE DE UNOS ZAPATOS

¡Se me mueren! Han vivido
Con fidelidad: cristianos
Servidores que se honran
Y disfrutan ayudando,

Complaciendo a su señor,
Un caminante cansado,
A punto de preferir
La quietud de pies y ánimo.

Saben estas suelas. Saben
De andaduras palmo a palmo,
De intemperies descarriadas
Entre barros y guijarros.

Languidece en este cuero
Triste su matiz, antaño
Con sencillez el primor
De algún día engalanado.

Todo me anuncia una ruina
Que se me escapa. Quebranto
Mortal corroe el decoro.
Huyen. ¡Espectros-zapatos!

VIVIENDO

La ciudad se dirige hacia las brumas
Que son nuestro horizonte en los suburbios
Plomizos, humeantes, bajo nubes
Que el sol poniente alarga desgarradas

Por colores apenas violentos,
Verdoso violado enrojecido.
Engrandece el crepúsculo.

Amable, la avenida
Nos expone planeta humanizado,
Nos arroja tesoros a los ojos,
Nos sume en apogeos.
Y los ruidos se juntan, se atenúan:
Murmurada amalgama
Pendiente.

Irrumpe una estridencia.
Atroz motor minúsculo trepida.
...Y otra vez se reanuda el vago coro,
Favorecido por la media voz
De calles
A cielos abocadas.

Bajo los rojos últimos
En grises, verdes, malvas diluidos,
Siento mías las luces
Que la ciudad comienza a proyectarme.
Mucha imaginación lo envuelve todo,
Y esta máquina enorme bien nos alza,
Inseparable ya de nuestras horas
Y de nuestros destinos.
Gran avenida —donde estoy— fulgura.

Todo avanza brillando,
Tictac
De instante sobre instante.
Con él yo me deslizo,
Gozo, pierdo. ¿Me pierdo?

Ternura, de repente, por sorpresa
Me invade.
Una ternura funde en una sola
Sombra del corazón
La ciudad, mi paseo.

Me conmueve, directa revelándose,
Común sabiduría.
Moriré en un minuto sin escándalo,
Al orden más correcto sometido,
Mientras circula todo por sus órbitas,
Raíles, avenidas.
Sin saberse fugaces,
Los coches
Me escoltan con sus prisas,
Me empujan,
Y sin querer me iré
Desde estos cotidianos
Enredos
—Entre asperezas y benevolencias—
Hasta ese corte que con todo acaba.
¡Telón! Un desenlace no implicado
Quizá por la aventura precedente:
Afán, quehacer, conflicto no resuelto.

Pero ya la cabeza
De sienes reflexivas
Reconoce la lógica
Más triste.

Voy lejos. Me resigno. Yo no sé.
Y el tránsito final
—Sobre un rumor de ruedas— ya me duele.

Está el día en la noche
Con latido de tráfico.
El cielo, más remoto, va esfumándose.
Esa terraza de café, más íntima,
Infunde su concordia al aire libre.

Cruzo por un vivir
Que por ser tan mortal ahincadamente
Se me abraza a mi cuerpo,
A esta respiración en que se aúnan
Mi espíritu y el mundo.

Mundo cruel y crimen,
Guerra, lo informe y falso, disparates...
No importa.
Impuro y todo unido,
Apenas divisible,
Me retiene el vivir: soy criatura.
Acepto
Mi condición humana.
Merced a beneficios sobrehumanos
En ella me acomodo.
El mundo es más que el hombre.

Así voy por caminos y por calles,
Tal vez
Errando entre dos nadas,
Vagabundo interpuesto.

Me lleva la avenida
Con esta multitud en que se agrupan
El pregón, el anuncio, la persona,
Quiebros de luces, roces de palabras:
Caudal de una ansiedad.
Por ella
Logro mi ser terrestre,
Aéreo,
Pasaje entre dos nubes,
Conciencia de relámpago.

Y SE DURMIÓ

Irresistible el mandato:
Ya, ya está la sien izquierda
Bien hundida en la almohada
Clemente. Despacio empieza
La inmersión hacia ese fondo
Que ha de absorber esta incierta

Realidad y sus ruïnas
Titubeantes, que menguan,
Se desmoronan, renuncian
A persistir.

              La discreta
Fatiga rechaza el resto
Remoto de la materia.
Cerrándose va un calor,
Y los ojos más se internan
Bajo los abandonados
Párpados, y la cadencia
De respiración coincide
Con el pulso de la escueta
Noche tan impersonal,
A vista de tanta estrella.
Vago ahora el universo,
Mal se esbozan las ausencias
De las cosas.

              Pero montes...
Montes serán. Aun se otean.
No, no.
          Ni se ven ni existen
En la oscuridad desierta,
Porque el espíritu a punto
Ya

      Crisis. La frontera.
Un instante se desliza,
Y la luz interior cesa
De alumbrar. De pronto, lejos,
El perdido sobre hierba
Cae delicadamente.
Y de esa fatal entrega,
Sumiéndose sin sentir
En absoluta ceguera,
No será testigo. Paso,
Paso a un mundo bueno. Duerma,

Duerma quien no sabe nada
De su aventura.

                    La tierra
Guardará al así dormido
Cuando así se le convierta
—Sin sentir— vigilia en sueño
La ignorada vez postrera.

GRACIA TEMPORAL

De trascurrir no cesan los minutos,
Y el tiempo —que en el alma se acumula—
Acrece nuestro ser, así formado
—Mientras viva— por tiempo sustantivo.
Nada soy si no soy de esa corriente.

HACIA...

La frescura de la mañana
—Trepida el tren hacia París—
Renueva en su gloria temprana
La visión del antiguo lis.

Fue por aquí mi juventud,
Ignorante de su destino,
A encontrar la nueva salud
Cómo y dónde a Dios le convino.

Y en la encrucijada —confusa—
Hallé mi fundamento claro,
Que asentó mi vida al amparo
De una verdad que fuese musa.

Musa de costubre en el suelo
Cotidiano para mis pies.
Nuestra verdad no tiene velo
Frente a mí porque tú la ves.

El tren implacable se ensaña
Trepidando en mi soledad.
Musa tú que fuiste mi hazaña,
Mi sempiterna realidad.

ENCUENTRO

Pienso temblando en aquel
Azar que a ti me condujo.
Ver o no ver Tregastel:
Destino o día de lujo.

¿Lujo? Día decisivo,
Manantial tan capital
Que sólo desde él concibo
Mi vida como caudal.

Caudal que fuese una masa
De impulso en un movimieno
Constante que me traspasa:
Mi destino es mi elemento.

¿Lo quisieron las estrellas,
Lo armonizaba algún dios?
¿Músicas hubo tan bellas
Porque las oímos dos?

No había acorde anunciado
Ni era aún nuestro compás.
Sin su forma para el hado,
Posible era nada más.

¡Qué imprevista, qué lejana,
Qué improbable apareciste
Para que ya la mañana
Nunca amaneciese triste!

Fue el azar quien me llevó,
Divino a veces, a ti.
Y si yo tal vez soy yo,
¿Será que te descubrí?

Nosotros fuimos surgiendo
Como realidad entera:
En este mundo de estruendo
La palabra verdadera.

Pude ignorar Tregastel,
Pude no ser el que soy,
Pudo el acaso cruel...
Pero no lo fue —ni hoy.

Hoy que nuestra doble vida
Ya es un solo río impar.
No hay poder que lo divida
Antes de rendirse al mar.

TRÉBOLES

Despierto y como no estás,
No me suena el mundo a mundo:
Nunca a solas hay compás.

*

Desierto de tanta pena:
Mi vivir es como el aire
Que se ve si mueve arena.

AQUEL INSTANTE

(Fotografía, *Somo, Santander*, 1934.
Claudio, Germaine, Jorge, Teresa.)

Fue un instante fugaz,
Fugaz
Como cualquier instante,
Pero un recuerdo lo conserva intacto:
Arte de la memoria.
Un mar,
Igual en el recuerdo a cualquier otro.
Cerca del horizonte,
Un peñón que persiste
Contra los oleajes y el olvido.
La playa. Muelle, bella
Con ondas por las ondas
Trazadas. (En la imagen se adivinan.)
Y el paso de un segundo
Que ya no pasará. (La imagen vence.)

Verano.
Aquel, aquel verano con su atmósfera
Desgarradoramente singular.
No era sólo un color de luz o nube,
Y la indolencia sobre aquella arena.
Era un aire ya nuestro,
Del hombre, de unos hombres,
Aire con una gracia irrepetible:
Único y nuevo es todo.
Un verano. Su fecha,
Sólo un punto de cruce en una historia,
Mi historia, la más mía,
Que a lo lejos columbro.
¿Muy lejos? En mí mismo:
Tan hondo aquel verano a imagen nuestra.

Imagen: cuatro seres.
Un grupo,
El grupo que ella y yo nos inventamos*
Mientras nos inventábamos nosotros.
Era una inspiración
Que se nos imponía tiernamente
Como fatalidad muy deseada,
Como un propio querer inevitable.
Amor, y luego amor. ¡Qué larga empresa,
Cuánta solicitud de tantos días
A través de sus fallos,
Sus tropiezos, sus glorias!
Nuestro amor, y sus hijos, y nosotros
Más creados con ellos y por ellos,
Ahí, sobre la arena.

Y cada uno mira como a solas
Hacia un vario confín
Quizá no coincidente.
Los ojos ven o sueñan,
Abiertos,
Y convergen, divergen esos rayos
De la atención que avanza
Por su desfiladero de segundos:
Imagen
Con vivificación de criaturas
Distintas
Que allí reúne, del azar ya exentas,
Un amor ya destino,
A la orilla del mar —o sin orillas
En un tiempo que no prevé sus límites.

Todavía duramos, deseamos
Los acogidos a intemperie varia.
Ella reside, ya sin tiempo, donde
Sólo una eternidad

---

* *inventar:* como «ahínco», «columbrar», «leyenda», palabra
importante del léxico del poeta. Aquí, no ya una ventana ni
un espejo sino una fotografía-imagen enmarca y deja en paréntesis
un «presente».

Podría amenazar sus soledades.
Y aquí
Los tan supervivientes aún seguimos
Para nutrir el mundo en que ella vive
Si en nosotros revive aquel pasado,
Y nos depara un nuevo
Presente
Con una pulsación de nuestro pulso,
De ella también. Por eso luce ahora
Su chispear, su mismo
Chispear de diamante generoso.

Sobre la arena donde continúa
La elevación de aquel segundo extinto,
Se convierte el destello en la mirada
Clarísima,
Que ella conserva inmóvil
Si el amor no la arroja a su incesante
Corriente.
Aunque ya trascurrida,
Sin sucesión de sol,
Bajo oscurecimiento
De túnel entre escombros derrumbados,
La mirada resiste,
Perdura al fin, vivísima
Con luz,
Suspensa en su candor, conmovedora.

Todo es candor fugaz,
Y aquella vida, trascurriendo siempre
Rápida y condenada,
Me enamora otra vez,
Me seduce entregándose,
Uniéndome a su fuente de hermosura,
Su manantial de vida, vida, vida,
Vida por más caudales
Así multiplicados
Hacia vida sin término,
Creación, creación, más creación,
Más fuente

Sin cesar que nosotros,
Juntos ahí, sobre la playa, juntos
En esa eternidad de nuestro instante.

CUMPLEAÑOS

Al moro de la morería

Hoy cumplo ya tantos años,
Ay, que mi melancolía
Va dictándome palabras
Con ecos de voz antigua.
—Hombre convertido en nombre,
Castellano de Castilla:
El día que tú naciste
Ninguna señal había.
No estaba la mar en calma,
La luna estaba partida.
Varón que vio así la luz
Tendrá mucha, mucha vida
Que vivir y recordar
Para ser quien será un día.
En un 18 de enero
Todo un futuro se inicia
Situado entre fronteras
De historia sin profecía.
Esa tierra, tan desnuda,
Sólo fábulas te brinda,
Pendientes de tu destino,
Sin fábula todavía.
Crea tu amor, eres libre,
En tu meseta ya arriba.

HUERTO DE MELIBEA

Todo por vivir
Fernando de Rojas *

LA NOCHE

Del instante en silencio parten hacia lo oscuro
Las fuerzas que se acrecen deseando,
Formando su futuro:
El mando
Que habrá de presidir el mediodía.
Murmullos... Los murmullos retornan. Ya los guía,
Por entre las techumbres y el follaje,
Esta luna clemente
Que a mi reino yo atraje
Para que sonriese todavía.
Y reviviendo en calma, con placer se demora
Sobre lo iluminado como si fuera fuente
De un amor que anunciase el de la aurora.
Todo, todo converge hacia un objeto
Ahora
Más deseado aún que conocido.
¿A nadie le revela su secreto?
Ved cómo esa doncella
Con voz que es ya centella
Da a lo oscuro sentido.

MELIBEA, LUCRECIA

M.   Parece siempre tardar
     En venir quien tanto espero,
     Y hasta las estrellas sufren
     Con la ansiedad de mi cuerpo.
     ¿Qué hará sin mí en ese mundo

---

* *Rojas:* autor de la 'comedia' llamada *La Celestina,* por otro nombre *Tragicomedia de Calisto y Melibea* (1499; 1501; 1502).

261

Que me lo esconde tan lejos
Si para mí sola todo
Se me deshace en el viento?
Aún no viene. Canta, canta,
Lucrecia, quítame peso.

L.   Ramas-floridas, estrellas,
      Vivid conmigo
Porque todas seréis más bellas
      Si os ve mi amigo.

Hasta la onda de la fuente
      Nunca se sacia
De volver y volver con gracia
      Porque él la siente.

M. ¿Suenan pasos?
              No, no es él.
Sin música pasa el tiempo
Más despacio.
              También yo
Cantaré.

L. ¿No es él?
           Cantemos.

M. L. No me detengas al amado,
      Tiempo aún no mío,
Tú correrás a nuestro lado
      Como un gran río.

Se os colmará el embeleso
      De tal manera
Que saltará la vida entera
      De abrazo en beso.

Y la noche será tan clara
      Si Amor la toca
¡Ay! como si nos la alumbrara
      Dios en mi boca.

L. Se espera mejor así.
    La misma voz te da aliento.
    ¿Seguimos?

M.   Déjame sola
    Decir que voy, voy de vuelo.

    Para no gritar cantaré
        Que estoy gozando
    Por un cielo de tierra cuando
        Te doy mi fe.

    Y juntos, por fin, ah, felices,
        Siempre es verdad
    Eso que en voz baja me dices.
        Astros, cantad.

L. Escucha.
                No se oye nada.
    Todo se vuelve desierto
    Para proteger tu amor.

M. Ya va a llegar, ya le veo
    Venir por la senda nuestra,
    Avizor, velado, terco,
    Hacia estos ojos en víspera
    De fábula y firmamento,
    Donde Amor nos guardará
    —Seguros dentro del huerto—
    Con alegría de gloria
    Que a los dos sostenga eternos.

LA NOCHE

Las voces y el silencio de la Tierra
Van fundiéndose en vasto
Rumor de fondo oculto.
El ansia enamorada así no yerra
Su término.

¿Tal vez después nefasto?
Nadie lo sabe mientras se afirma, capital,
Atrayendo un tumulto
Que ignora el bien y el mal.
¡Tan rauda va la flecha hacia su centro:
Expectación divina!
Los dos amantes, dentro
De una estrella futura,
Reunirán sus túneles de mina,
Y hallarán laborando su ventura
Presente
Como una eternidad que entre los dos madura.
¡Oh fugitiva perfección, detente!

MELIBEA, CALISTO

C.   ¡Melibea!

M.   ¡Calisto!

C.   Me duele cada vez,
     Aunque todas las noches
     Llegar me veas a la misma hora,
     Un gran remordimiento de retraso.

M.   ¡Aquí!
             Ya estás aquí,
     Es verdad tu presencia,
     Verdad, verdad, verdad.

C.   Esa voz, esa voz... ¡Oh, mi fortuna!

M.   ¿Qué hiciste por el día?

C.   No me importa, no sé.
     A las horas de luz no sé si existo.
     Probablemente vago como espectro
     Que sufre así de apenas existir.
     ¿Puedo llegar a ser si tú no eres,

Si no estás de verdad ante mis ojos,
Si mis manos te buscan
Y en la luz no te encuentran?

M.   Amor, amor, encuéntrame.

C.   Siempre estás al final de corredores
Oscuros bajo el sol,
Y sin ver, sin oír, adormecido
Por mis propias tinieblas,
La frente en la pared tan inmediata,
Me hundo en un sofoco
Donde respiro mal,
Esperando la noche que me impulse
Con una fuerza mía que no es mía,
No, de tan increíble,
Hasta los brazos tuyos. Y tu boca.
Esta misma.
           ¡Silencio!

M.   Escucha.

C.   Calla, calla.

M.   ¿Qué dices? No te oigo.
Dímelo bien, más cerca del oído.

C.   Del oído.

M.   ¿Ahí, también ahí?

C.   La luna te ilumina los cabellos
Y el lóbulo suavísimo,
Que es otro dios —para ser acatado.

M.   ¡Ay! ¡Ah!
           La luna ahora...

C.   Déjala entre sus nubes.
De prisa van huyendo.

M.   Yo, yo no pasaré.
      ¡Contigo en el instante
      Que de pasar jamás acabará!
      Llévame a un huerto de segura sombra:
      La sombra que nos junte para siempre.

C.   ¿Dónde estará ese huerto, Melibea,
      Si no es para nosotros imposible?
      A veces me arrebata en una onda
      —Pero yo la rechazo—
      Una furia de mar hacia más agua,
      Más agua...
                    de un olvido.

M.   ¡Ay, loco, loco, loco!

C.   Loco, no. Casi ahogado,
      Resisto aún, braceo.
      A no ser que yo viva
      De mi naufragio, siempre naufragando.
      Aquí respiro.
                    Brisa. Muy delgada,
      Mueve apenas las hojas.
      ¡Este calor tan grato por la noche,
      Calor para nosotros, en nosotros!

M.   Descansa en mí, conmigo.

C.   ¡Ah, dormir —o morir— sobre tu pecho,
      No despertar al sol de los extraños,
      Hundirse juntos y gloriosamente!

M.   Yo te sostengo, yo te sostendré.

C.   Nada más dulce para mi cabeza
      —¿Ves? —que se desbarata
      Soñando sin cesar con este puerto.
      ¡Mi puerto, mi refugio!
      ¡Cómo se ajusta al labio reverente,
      Cómo sacia mi sed!

266

M.   ¡Oh Dios!

C.   No, no se sacia.
¡Este gozo que vuelve, vuelve, vuelve,
Siempre en su manantial!
¿Qué dices?

M.   Nada.
            Ten.

C.   ¡Melibea!

M.   Contigo.
Sin ti no hay Melibea.
Contigo nazco, me conozco, siento
Mi sangre como un río que es un don.

C.   ¡Tesoro de tesoros,
Cuántos! Aquí soy rey.
Entre las maravillas me extravío.

M.   Amor, amor, regálame,
Cíñeme con palabras envolventes.

C.   Tú, Melibea, tú...

M.   ¿Me acusas?

C.   No, te nombro, te acaricio.
M.   ¡Melibea y por ti,
Por tu afán, con tu cuerpo, con tu alma,
Tiera y gloria, mi ley, mi salvación!

C.   ¡Oh si ya no existiese
Más mundo que este huerto!
¡Oh Melibea, toda huerto mío!

El huerto, recogido
Bajo sombras sin voces,
Se ahonda en este olvido
Que el mundo le reserva.
Luna por entre nubes: ¿ni tú ya nos conoces?
El huerto no es ahora más que hierba
Muy suave
Que sólo del gran pulso recóndito bien sabe
Mientras las ramas indistintas, dando
Toda su profusión a la negrura,
Se funden sin figura
Para asociarse al bando
De la invisible tierra, pero humana.
No se ve a nadie entre los espesores
Sin luces,
Y de sus pormenores
Priva lo contemplado a quien se afana
Por entender lo más oscuro. Ni cruces
Veo temblar de luna y de ventana.
Triunfad en claro, círculos mayores.
Tan firme en su elemento,
Amor, de amor capaz,
—Si no lo arrasa todo con el oculto filo
De pronto violento—
Extiende este sigilo
De paz.
¡Oh crisis como un éxtasis, culminación del orbe
Que en su total concierto
Lo centra y reabsorbe!
Amor: los astros giran en torno de este huerto.

C.   ¡Oh maravilla!

M.   Para siempre. ¡Siempre!

C.   Sí.
        ¡Melibea!
             Sólo Melibea,
No quiero otro horizonte.

M.   ¿Vida? Sólo contigo.
                        ¿Duermes?
                              Duerme.

C.   ¡Qué bien así!

M.   La luna
Se deja atrás las nubes y a nosotros
Consagra su candor, preciosa, grande.

C.   ¡Qué bien así, despierto
Casi, libre y tendido
Como para morir!

M.   No, no, jamás la muerte. Ya no hay muerte.
Mírame a mí en los ojos.

C.   ¡Tan verdes! ¡Quién, poeta!
No. Vanos, los discursos. Tú me embriagas
Con tu ausencia o presencia.
¡Terrible tu presencia
Misma, tu aurora misma!
¡Oh, no más horizonte que tu cuerpo!

M.   Tenle. Tuyo.

C.   Y mejor que horizonte,

Nunca tangible. ¡Meta!
Meta de mi vivir —o de mi muerte.
¿Cómo aceptar la aurora de después
Si me esconde la mía?

M.   Eres mío en la luz, jamás te pierdo.
Tambíen ese ciprés me da la sombra
Donde te pongo a salvo.

C.   Observa tu ciprés,
Triste acaso.
              ¡Qué fresco! Ya se afila
Bajo esta brisa.
              Debe de ser tarde.

M.   No lo sé. ¡Dure, dure
Tu calor junto a mí!
Calor iluminado
Con luz por donde vivo,
Donde tanta esperanza nos promete
Nuestra inmortalidad.
En tus brazos no hay tiempo.

C.   Él me conduce sin cesar al día.
¡Día vacío bajo el sol vacío!
Y me pierdo en el aire de los otros,
Los otros, ignorantes
Que no saben de ti.
¡Y qué sofocación en esa espera,
Lejos de tus rodillas
—Que aquí están, aquí están
Ah, para obedecerme!
Y las deseo tanto
Que las destrozaría.

M.   ¿Esto es amor? Calisto,
Señor áspero, calla,
No ensombrezcas la noche. ¡Quieto!
              Mírame.

Estoy más lealmente
Desnuda para ti —bajo mi ropa —
Que aquella tan desnuda de allá arriba,
Entregándose al huerto.
Aquí me tienes clara,
Mi bien de manos buenas,
Toda clara en tus brazos.

C. Suavísima blancura con sus rosas.
    Ésta. Déjame. Y ésta. ¡Huerto mío!

M. Tú lo has creado. ¡Dios! Por ti yo soy,
    Porque tú me acaricias,
    Me das tu calidad, tu ser eterno.
    ¡Qué privación atroz
    Vivir en cueva o grey sin tu mirada!

C. Por las cuevas me arrastro,
    Sin aire entre las gentes
    Que nos separan ¡ah! de nuestra noche.
    Y me abrasa el ardor
    De una lumbre que no me iluminase.
    Mío el horno cruel. Y me consumo
    Siempre desesperado y deseándote.
    ¿Cómo evitar que sueñe
    Sueños de rabia donde me destrozo
    Yo a mí mismo o te busco
    Para estrecharte bien
    Hasta perder la fuerza
    De estrecharte, rendido?
    Rendido, loco, muerto.

M. Amor, deliras, párate.
    ¿Querrás hacerme daño,
    Contigo no me tienes?
    La noche es tuya: te lo ofrece todo.
    Tuya mi claridad, tú la dominas.
    ¡Ah! Me abrasa tu frente.

C. Y soy yo quien se quema.
    Y tú, tú, prodigiosa...

¿Oyes?
                    ¿Qué es ese ruido?

M.   Gente que pasará.

C.   Tal vez a mis criados...

M.   ¡Bah! Se defenderán. No te levantes.

C.   Voy, que me necesitan.
     Alguien me los ataca.

M.   ¡Adiós nuestra ventura!

C.   No hay peligro.
                    La escala junto al muro.
     ¡Bien!

M.   No corras. ¡Cuidado!
     Te vas sin las corazas.

C.   Espera. Volveré.

M.   ¡Ay! Llamaré a Lucrecia.
     Esos ayes y gritos... ¡Oh fortuna
     Sin ley!
                    Fui tan feliz que tengo miedo.

LA NOCHE

No oigo bien el murmullo de esa fuente.
Corre tanto el destino
De algunos seres a su desenlace
Que en el silencio se precipita de repente
La expectación del mundo.
                              ¿Se deshace
Todo el orden divino,
Lo arrebata en su polvo algún azar,
Mensajero de un caos que podría

Negar,
A través de una sola criatura,
La restante armonía?
Un mortal se apresura.
¿Hacia dónde? ¿Qué límite le espera?
Rigor.
      Y luego...
              ¿Qué?
Un ser, que entonces era,
Ya fue.

MELIBEA, LUCRECIA

M. No comprendo. ¿Qué ha ocurrido?
     ¿Qué dicen ahí?

L.   Las voces
     Me aturden.

M.   ¿Calisto, muerto?

L. Cayó de la escala. ¡Torpe!

M. Torpe, no. ¡Loco por mí!
     ¡Qué horror!

L.   No grites, no llores.

M. ¿Es posible que esta gloria
     Se haya quebrado de un golpe?
     Oigo ese rumor horrendo,
     Y se me hincan, feroces,
     Esas palabras que mienten.
     ¿Que mienten? ¡Ay, se me rompe
     La voz! No puedo llorar.
     ¿Dónde estás, Calisto, dónde?
     Ni sobre las piedras yaces
     Ni a ti mismo te conoces.
     Tampoco yo me conozco,

273

Perdida entre los clamores,
Sin respirar en tu aire,
Sin depender de tu noche,
De tu día, de tu sol,
De tu eternidad. No hay pobre
Sobre la tierra de Dios
Más pobre que yo, no hay goces
Contigo, no existe nada.
Sólo este destierro doble,
Porque yo no estoy aquí
Junto a esa puerta de bronce
Que me oculta sus secretos,
Para Calisto esplendores.
¡Si tuyos son, serán míos!
Yo he de subir a la torre
Que me hará en seguida ver
El retiro que te esconde,
Yo he de volar hacia ti,
Sumirme en el oro enorme,
Vivir de revelación
En la cima del gran orden,
Salvada, sí, para siempre,
Mi boca en tu boca. Ponme,
Calisto, mi amor, de nuevo
Triunfante, dentro del orbe
Que alumbrarás para mí,
Donde me aguardas. ¿Temores
Me detendrían? ¿Y cuáles?
Perdonadme, corazones
Que en esta casa quedáis,
Supremos amparadores
De mi virtud y decoro.
Es Dios mismo quien me escoge.
¡Ay! Tendré que abandonaros
Sintiendo el terrible corte
Que me taja a mí también
Y mucho me duele. Corre
Mi sangre tanto a su mar,
Son mis ansias tan veloces
Que yo no sé cómo sufro

Todavía aquí dolores
Tan remotos de mi dicha,
Sin elevarme hasta el monte
Que nunca habrán de cubrir
Estas manchas que corrompen
La luz de tu paraíso.
¿Cuál más pura, cuál más noble?
Hacia tu amor, a tu hüerto
Voy ya, Calisto. ¡Recógeme!

LA NOCHE

Queda vacío de su amor el huerto.
Acordes, los cipreses
Aploman su negror, ya funerales.
Soledad atormenta a un mundo yerto,
Y entre tantos reveses,
Más mortales se sienten los mortales.
¿Ha destruido Amor a sus enamorados
¿Fueron ellos los libres sin fortuna,
A ciegas tan nocturnos, lastimosos?
La madrugada viene de los prados,
Del rocío otra vez tan inocente
Para que se reúna
Lo oscuro de la tierra con los nuevos acosos
De la Atracción —que persiste en la fuente,
Sin cesar deslizándose muy clara.
¿Quién no defendería a quien amara?

DESPERTAR ESPAÑOL

¡Oh blanco muro de España!
FEDERICO GARCÍA LORCA

I

¿Dónde estoy?
              Me despierto en mis palabras,
Por entre las palabras que ahora digo,
A gusto respirando
Mientras con ellas soy, del todo soy
Mi nombre,
Y por ellas estoy con mi paisaje:
Aquellos cerros grises de la infancia,
O ese incógnito mar, ya compañero
Si mi lengua le nombra, le somete.

No estoy solo. ¡Palabras!

Y merced a sus signos
Puedo acotar un trozo de planeta
Donde vivir tratando de entenderme
Con prójimos más próximos
En la siempre difícil tentativa
De gran comunidad.

A través de un idioma
¿Yo podría llegar a ser el hombre
Por fin humano a que mi esfuerzo tiende
Bajo este sol de todos?

Ay patria,
Con malos padres y con malos hijos,
O tal vez nada más desventurados
En el gran desconcierto de una crisis
Que no se acaba nunca,
Esa contradicción que no nos deja
Vivir nuestro destino,
A cuestas cada cual
Con el suyo en un ámbito despótico.
Ay, patria,
Tan anterior a mí,
Y que yo quiero, quiero
Viva después de mí —donde yo quede
Sin fallecer en frescas voces nuevas
Que habrán de resonar hacia otros aires,
Aires con una luz
Jamás, jamás anciana.
Luz antigua tal vez sobre los muros
Dorados
Por el sol de un octubre y de su tarde:
Reflejos
De muchas tardes que no se han perdido,
Y alumbrarán los ojos de otros hombres
—Quien sabe— y sus hallazgos.

III

¡Fluencia!
Y nunca se interrumpe,
Y nunca llega al mar
Ni sabe de traiciones.
Río de veras fiel a su mandato,
A su fatal avance sesgo a sesgo,
Rumbo a la primavera con su estío,
Y en las agudas barcas

Las eternas parejas
De nuevo amor.
                    Y no hay más mundo que ése.

Un mundo bajo soles
Y nuestra voluntad.

Paso ha de abrirse por las nuevas sangres
Incógnito futuro
Libérrimo.
¿Vamos a él? Él es quien nos arrastra
Rehaciendo el presente
Fugaz
Mientras confluye todo por su curso
De cambio y permanencia,
España, España, España.

IV

Nuestra invención y nuestro amor, España,
Pese a los pusilánimes,
Pese a las hecatombes —bueyes muertos—
Sobre las tierras yermas,
Entre ruinas y fábulas
Con luces de ponientes
Hacia noches y auroras.

Y todo, todo en vilo,
En aire
De nuestra voluntad.

Queremos más España.

Esa incógnita España no más fácil
De mantener en pie
Que el resto del planeta,
Atractiva entre manos escultoras
Como nunca lo es bajo los odios,
Creación sobre un trozo de universo
Que vale más ahondado que dejado.

¿Península? No basta geografía.
Queremos un paisaje con historia.

V

Errores y aflicciones.
                              ¡Cuántas culpas!

Gran historia es así:
Realidad hay, compacta.

En el recuerdo veo un muro blanco,
Un sol que se recrea
Difundiéndose en ocio
Para el contemplativo siempre en obra.

¡Blanco muro de España!
No quiero saber más.
Se me agolpa la vida hacia un destino,
Ahí,
Que el corazón convierte en voluntario.

¡Durase junto al muro!

Y no me apartarán vicisitudes
De la fortuna varia.
¡Tierno apego sin término!
Blanco muro de España, verdadera:
Nuestro pacto es enlace en la verdad.

FORMA EN TORNO

La ventana me ofrece el cuadro sumo:
          Un trozo de enmarcada
Realidad, que no aíslo pero asumo
          Completa en la mirada.

Aire libre, luz libre lucen dentro
        Del íntimo recinto
Que delimita silencioso centro,
        Rumor de fuera extinto.

Esas columnas grises, puro el arco,
        Capitel sin empaque,
Brindan estilo para que me aplaque
        Su lujo el cielo zarco.

Se serena la hora entre estos muros
        Que acogen a los días
Como si fuesen ápices maduros
        De nuestras energías.

Pájaro en vuelo cruza. Las ventanas
        Oponen sus cristales.
Me edifica este patio. Sus mañanas
        Se me ahondan, cabales.

ATENCIÓN A LA VIDA

—Te escucho.

—Los abetos descienden hasta la cintura de rocas, más abajo ya cubiertas de una vegetación
verdeamarilla, algas que nos presentasen uvas
de estío. En los huecos de la peña reposa el
agua trasparente. Murmullo de graznidos dejan
caer desde la altura cuatro aves negras. Y la
mañana se encamina hacia una total vibración.

—¿Qué ocurre ahí? ¿No hay suceso?

—Todo es inmensamente suceso a través de esta
calma densa hasta los bordes que sin titubear

clausuran un equilibrio formidable. El agua de las olas y entre las piedras, y la piedra con sus hendiduras y tajos, y el continuo empuje con que sostienen duración y preduración ¿no están a la vista sucediendo?

—Sin embargo...

—Y frente a ese bosque el mar, ahora plácida lámina, que lo es reteniendo su fuerza, modulando un rumor de grises, de reverberaciones blanquecinas. Y ese barco, majestuoso como todo barco, gran máquina, pero no tan sutil como la máquina que es aquel hombre, aquel engranaje de salud, ¿no están aconteciendo?

—¿Aconteciendo? No me conmueven.

—A mí me conmueve hasta el asordado, vago, casi incorpóreo zumbido de un silencio en que, sin confundirse ni fundirse, ahora mismo se traban infinitas radiaciones conjuntas. Y todo está con todo, alrededor de este hombre erguido sobre la peña, sobre tantos milenios de peña, de planeta: mañana de julio marino.

—¡Verano! No me sacude el corazón.

—En efecto, nadie está ahogándose en este mar. Ningún enemigo desembarca ni ataca. Ningún menesteroso gime por ahí. No, yo no te falseo esa realidad. Los seres coinciden con su `ser. Así normales, son lo que son. Como no te descubro muerte ni riesgo de muerte, por aberración eres incapaz de percibir la plena vida.

PLACER Y LIBRERÍA

Alto breve en el callejeo.
Un escaparate nos llama
Con los títulos que la fama
Concierta y rige como Orfeo.
Volumen a volumen leo
Portadas en sonoro idioma,
Y tanto mundo allí se asoma
Que me lanzo a él: librería
Por donde mi placer me guía.
Sé de una mágica redoma...

UNA CALLE

Ésta es la calle maloliente
De muchos, muchos sucios años,
Donde la pobreza consiente
La perpetuación de los daños,
A un sol de alegre Sur expuestos
Como en los balcones los tiestos,
Que no faltan —ni las camisas
Colgantes entre muro y muro,
Leve el cordel, y en el futuro
Los paraísos y las brisas.

SI CAPRICHO, NO HASTA EL FIN

Se me ocurre ahora «luna».
Después... No sé qué decir.
Pienso de pronto en la China,
También con luna y su abril.
Bajarán desde las nubes
Montañas, un colibrí,
Tejados entre boscajes,
Mansiones de mandarín...
Las palabras se me ordenan:
¡Fui al Oriente en una i!

MINERVA

¡Extremo punto del vivir,
Oh terribles pruebas de imprenta!
Las grandes márgenes invitan
A trazar con pluma de asceta
Signos, signos y signos contra
Los errores ¡ay! que me pueblan
El texto, cuya perfección
De pronto se me ofrece tersa:
¡Mi tan falible manuscrito,
Dechado ahora de Minerva!*

---

* *Dechado... Minerva:* modelo de ciencia y poesía.

ARS VIVENDI

Presentes sucesiones de difuntos.

QUEVEDO

Pasa el tiempo y suspiro porque paso,
Aunque yo quede en mí, que sabe y cuenta,
Y no con el reloj, su marcha lenta
—Nunca es la mía— bajo el cielo raso.

Calculo, sé, suspiro —no soy caso
De excepción— y a esta altura, los setenta,
Mi afán del día no se desalienta,
A pesar de ser frágil lo que amaso.

Ay, Dios mío, me sé mortal de veras.
Pero mortalidad no es el instante
Que al fin me privará de mi corriente.

Estas horas no son las postrimeras,
Y mientras haya vida por delante,
Serán mis sucesiones de viviente.

COMO TÚ, LECTOR

El hombre se cansa de ser cosa, la cosa que
sirve sabiéndose cosa, cosa de silencio en su potencia de impulso airado. La hombría del hombre, de muchos hombres se cansa atrozmente.

Ya no pueden pararse las manos sucias por deber y recias. Muchos ojos —sin gafas— ven o
entrevén más allá, aunque se inclinen hacia
el suelo y sus lodazales de leyes.

Máquina junto a las máquinas, o solo a la intemperie. Animal bajo un sol de selva, o en una selva urbanísima. Y los colores de la piel se cansan de su color.

Los colores se cansan de ser blancos, de ser amarillos, de ser negros: postración. Y millones de millones de fatigas llegan a formar, por fin irguiéndose, una sola figura.

Ni héroe ni monstruo. Una figura humanísima que arrolla desbaratando y arrasando a estilo de Naturaleza con furor geológico —y mental. Pero no. Es crisis de Historia.

Crisis que asombraría a los dioses mismos si atendiesen a nuestros lodos de arrabal. A los arrabales columbrarían inundados y ya arrebatados por mareas con saña de sino.

Esta vez sí se desequilibra el planeta. Sobre los magníficos se derrumban los colores, y los sujetos, uno a uno sujetos, engrosan multitudes, que son ¡ay! masas compactas.

Masas de hombres que podrían, uno a uno, ser hombres. Hombres como tú, lector que lees, libre, envuelto en tu señorío de piel, con un volumen en la mano, libre.

Deja de leer, mira los visillos de la ventana. No, no los mueve el aire. Responden a eso tan fugaz que fue un movimiento sísmico. Atención: no anuncia más que…

A ti también te anuncia la catástrofe de las catástrofes. ¿Terminará la esclavitud? ¿Hombres habrá que no sean cosas? Hombres como tú, lector, sentado en tu silla. Nada más.

NADA MÁS

I

Toda la tarde cabe en la mirada,
Una sola mirada de sosiego.

Horizonte sin bruma
Reúne bien el mar
Con ese azul de bóveda
Que va hasta las montañas,
Azules desde aquí,
Esta arena en que escucho el oleaje.

La tierra con el aire sobre el agua.

Más lejos, invisibles
Espacios tras espacios
Vacíos con tinieblas
O con terribles luces,
Definitivamente
Más allá de los hombres,
De su saber, su alcance.

Y yo ¿qué sé? Me dicen...
Son términos de espanto: nebulosas,
Galaxias.
          ¿Nos abruman? Nos anulan.

II

Aunque preso en la Tierra y sus prisiones
El corazón audaz
Emprende la conquista
De... ¿Nada es ya imposible?

Sobre una redondez
Como el grosor de un átomo ignorado
Rebulle en el silencio universal
La aventura terrestre.

No importa. Diminuto,
Alguien es eje aquí bajo la tarde,
Que es mía, de mi amor, de esta mirada
Tan fiel a lo inmediato así infinito.

Sin reverberación sobre las olas,
El mar me tiende el lomo
De una cabalgadura infatigable.
Esta luz —que me dora los relieves
De los montes, aquellas tapias blancas,
Esos follajes cerca de las peñas,
Del rumor marino—
Esta luz me propone las entradas
A inextinguibles minas.

III

Tierra, tarea eterna.
Terrícola entre límites,
Bien los conozco. Prohibido el orbe.
Heme aquí por mi campo laborable,
Por atmósfera y mar también con surcos.
¡Fatal presencia! Quiero mi destino,
Arraigado a través de estas raíces:
Mis huesos de animal,
Sólo en esta morada,
Nuestra de polo a polo,
De minuto a minuto.

Mi tiempo va a su fin, ay, necesario
Para dar su perfil a mi figura.
No habré de convertirme en propio monstruo
Con senectud de siglos.
Este cuerpo en su tiempo,
Mi espíritu en su forma,
Y todo indivisible en una llama,

Yo, que se apagará.
¿O habrá algo errante donde seré entonces
Pura evaporación de mi yo antiguo,
Vibrando sin materia?
Yo sólo sé de mi unidad efímera.

IV

Mi vida en este mar, estas montañas,
La arena dura junto al oleaje,
Mi amor y mi labor,
Hijos, amigos, libros,
El afán que comparto a cada hora
Con el otro, lo otro, compañía
Gozosa y dolorosa.

¿Un espectro sin tiempo ni esqueleto
Sería el sucesor
De un ser indivisible del contorno?

Llego hasta mis fronteras.
Bien inscrito, me colman.
Yo no sé saber más.
Bien se esconden los últimos enigmas,
Misterios para siempre,
Más allá de esta luz que así, dorada
Tarde, me entrega un mundo irresistible
Con su verdad fugaz,
Acorde a mi destino,
Sin bruma ante mis ojos
Desde este mirador de trasparencia.
Mar con su playa y cielo en mi sosiego.

Dedicatoria final

A

PEDRO SALINAS
EN SU GLORIA

288

III: HOMENAJE

Reunión de vidas

Dedicatoria inicial

AL MARGEN DE SAFO

RITMO A FAVOR

Ya los pastores, que el jacinto huellan,
Vuelven en paz con sencillez de oscuros.
Atis ya implora su secreto a Safo,
     Noche lunada.

«Mis labios buscan el mejor abismo
Mientras las olas a las playas traen
Ecos y flecos del abismo ignoto
     Que nos alienta.»

Noble estatura, la cabeza altiva,
Ímpetu brusco y lentitud de celo,
Tierna hasta el llanto, caprichosa, fuerte,
     Ávida humilde.

A Don Esteban Manuel de Villegas

Dulce Villegas que al presente ritmo
Diste un acento de fervor con gracia:
Te restituyo tu joyel de músico.
     ¡Sáfico adónico!

AL MARGEN DE SÉNECA

EL HOMBRE SIN ULTRATUMBA

Hoc erit post me quod ante me fuit.
«Ad Lucilium Epistulae», LIV, 4

Encima de tierra,
Sí, se está mejor
Que debajo. ¿Perra
Vida? Con amor.

En el cementerio
Yacerás muy serio.

No te enterarás
De nada jamás.

Quien principia a dormir no se da cuenta.
Así me moriré, mortal bendito.
Sin saber que estoy muerto, sin un grito
De espanto nada habrá que en mí yo sienta.

En tu sepultura
No eres tú quien dura.

Polvo se rehace,
No descansa «in pace».

Encima de tierra,
Sí, se está mejor
Que debajo. ¿Perra
Vida? Con amor.

AL MARGEN DE PO CHU-I

Este mar penetrante —campo adentro—
Es ya curso de un agua
Que esboza apuntes de esos ríos chinos
Levemente pintados, con sus brumas,
Con sus aves en vuelo, con un bote
Sin más que soledad —acompañada
Por la atención precisa de unos ojos,
Un pincel, una mano.
Con Po Chu-i diremos:
«Sólo existe una cosa
Que no me canso nunca de mirar:
El arroyo de Abril que corre sobre guijas
Y, pasadas las peñas, ya susurra.»
Vayamos con Po Chu-i al río Wei:
«Ocioso allí me estoy con caña de bambú.
Desde el pretil del Wei he tendido mi anzuelo.
Sobre mi caña sopla una brisa ligera
Que mece lentamente diez palmos de sedal.
Mientras sentado espero la llegada de un pez,
El corazón errante va al país de la Nada.»
Anochece. «Los ánades se duermen en parejas.»
Adiós, gran Po Chu-i.
«El río acercándose al mar se amplía, se amplía,
Y la noche se alarga hacia el otoño.»

AL MARGEN DEL «GITA-GOVINDA»

SOTOBOSQUE

Y sobre un lecho de ramillas jóvenes...
VIII, 6, 4

Amor. Aún calor entre las ramas
    Del sotobosque umbrío.
Y late la penumbra. Amo, amas,
    Tu sombra es sol, y mío.

DICHOSA LLEGADA

Un gozo grave en el rostro y amor en el corazón.
XI, 22, 1

Mis labios sobre tus labios
—Tal es la tensión del beso
Que se revuelve en su afán—
Logran tu placer extremo,
Y así, rendición feliz,
Se prepara mi regreso
Jubiloso a tu hermosura,
A tu ser, a tu misterio,
Y se abisma en ti mi amor,
Luz del ímpetu no ciego.

AL MARGEN DEL «POEMA DEL CID»

Sospiró mío Cid, ca mucho avíe grandes cuidados.
El niño dice: «No me leas eso.»
La narración se anima. Al Cid acompañamos.
A la mañana, cuando los gallos cantarán
Juntos cabalgarán, cabalgaremos.
Comienzan las victorias. Ganado es Alcocer.
¡Dios, qué bueno es el gozo por aquesta mañana!
Con absoluta fe todos los suyos
—Entre ellos este oyente—
En el caudillo sin cesar confían.
¡Yo so Ruy Díaz, el Cid de Vivar Campeador!
Lo es, lo es. Y se despliega
Ya *su seña cabdal... en somo del alcázar.*
¡Alcázar de Valencia! Nada importa
Que de Marruecos lleguen cincuenta mil soldados.
«¡El Cid los vencerá!» grita seguro el niño.
No hay problema, no hay dudas, no hay «suspense».
Non ayades pavor. ¿A quién le aflige?
Le crece el corazón a don Rodrigo...
Y a todos cuantos llega su irradiación de héroe,
Héroe puro siempre, héroe invulnerable,
Autoridad paterna con su rayo solar.
«¡Él es quien vence a todos!» clama el niño.
Y venció la batalla maravillosa e grant.

295

AL MARGEN DEL «ORLANDO FURIOSO»

XVIII, 166. XIX, 17-41. XXIII, 102-135

Angélica, hija del rey del Catai, gran beldad, bizarra amazona, encontró en aquel bosque francés a Medoro, árabe, doncel rubio de ojos negros. Ella cuidó y curó al herido, se enamoraron, se desposaron y fueron dichosos con dicha silvestre por arboleda, prado, gruta.

Tiempo después acertó a pasar por aquel bosque Orlando, tan devoto de Angélica. Muchas veces la vista del paladín tropezó sobre cortezas y piedras con las iniciales de Ellos.

En la fuente resaltaba una inscripción. Medoro decía la deliciosa verdad. «En mis brazos desnuda estuvo Angélica.» Quedó Orlando absorto. Le dolía invadiéndole aquella desnudez.

Orlando se ensimismó. Yacía en el lecho de los amantes. Y salió fuera de sí con odio, con ira, con una saña de aniquilamiento. Arrojó sus armas y destrozó sus ropas, árboles destruyó. La gran locura comenzaba. Envilecen los celos desgarrando, anulando: locura.

AL MARGEN DE VIVES

una era su mente e idénticas sus aficiones...
(En los padres de Vives.)
eadem illis erat omnino mens, et affectus simillimi.
«De Institutione feminae christianae», 2, v

HEREJE Y LOCO

Consagra a Dios tal furia que al fin se ha vuelto loco.
Pesadillas horrendas le produce un gran coco.
Bajo noche de luna le atrae el cementerio.
Con sigilo entra en él, y pomposo, muy serio,
Se dirige a un sepulcro sin vacilar. Él sabe
Por qué. Del porvenir tiene toda la clave.
Clave con azadón. Cava, cava el demente.
Ah, si resucitase el difunto de repente.
No hay milagro. No importa. Sobre tierra el difunto,
Quemándose crepita su cadáver. Conjunto
Maravilloso: noche, fuego sacro, locura.
¡Arda el error! Error con hoguera se cura.

*En 1508 murió la madre de Vives, Blanquina
March, conversa judaizante. En 1530 condenada por la Inquisición, se quemaron sus
huesos y se confiscaron sus bienes a los hijos.*

AL MARGEN DE GÓNGORA

CÍRCULO

haciendo círculos perfetos

Nos ahogas, cruel inmensidad.
Soñemos, alma, perfección de círculo.
Es el gran salvavidas. Respirad.

HISTORIA ABSTRACTA

Entre espinas crepúsculos pisando,
El victorioso historiador abstrae,
Y la fernandidad de San Fernando
Le solivianta mucho más que Aglae*,
Estricto ser concreto así nefando.

INTENSO OCTUBRE

Tenedme, aunque es otoño, ruiseñores

Se ha dorado la fronda y más aguda
Brilla en su amarillez que en sus verdores
Mientras ya poco a poco se desnuda.
Hay tiempo aún para que te enamores.

---

* *Aglae:* la más joven de las tres Gracias; su nombre significa
'resplandeciente'.

AL MARGEN DE VILLAMEDIANA

MUERTE Y VIDA

(ÚLTIMA DÉCIMA)

El conde muere en la calle.
¿Quién es el asesinado?
¿El que desafía al hado?
No hay norma que lo avasalle.
¿O el varón de airoso talle
Frente a la real Mujer,
O quien tanto hace valer
Sus pullas de maldiciente?
En el poeta se siente
El misterio de aquel ser.

EL LIDIADOR

Mi corazón, cuyo peligro adoro...

«Mi corazón, cuyo peligro adoro»
No es una mera frase cortesana.
El hombre entero afronta siempre al toro
Con peligro mortal. Así se ufana.

AL MARGEN DE «LA VIDA ES SUEÑO»

3, III, IV

En esta incertidumbre de experiencia,
Cuando la realidad se desvanece
Como si fuera fútil fantasía,
El sol no es más seguro que la luna,
Y todo tiembla huyendo por un rayo
Que también soñaría como yo.
Oigo voces. Me llaman y me aclaman
Y me asaltan a mí. Yo no deliro.
Sobre mí se me arroja con tumulto
Pesado una verdad irrefutable.

¿Irrefutable? No... No sé. ¡Qué importa!
El vivir y el soñar se me confunden.
Soñemos, sí: vivamos. Atrevámonos,
Sin pavor de estas sombras fugitivas,
De estos humos en trance de esfumarse,
A soñar —que es vivir— nuestra jornada
Con su frágil tarea. Nos concierne.
Hombres somos: lo efímero se impone.
Sea la vida un sueño bien soñado.
¡Si no soñase! Reinaré, Fortuna*.

_____
* *Fortuna:* véase nota de pág. 127.

AL MARGEN DE MAINE DE BIRAN

SENTIMIENTO INMEDIATO

*j'ai trouvé une sorte de bonheur dans le
sentiment immédiat de l'existence*

«Journal», III, 114

Me invade un inmediato sentimiento de vida,
Independiente así del anterior saber.
Es un bien absoluto. No admite despedida
Onda de luz feliz más allá del placer.

REALIDAD POCO REAL

tout me fuit... J'ai comme un voile habituel sur l'esprit

«Journal», III, 113

Crisis. ¿La realidad es muy poco real?
Unas manos se tienden hacia un próximo objeto,
Y el objeto atenúa su masa, ya improbable,
Vagamente remota. Se necesita un cable
Que relacione al mísero con el fondo en boceto.
Boceto de una mente que de niebla reviste
Las cosas desprovistas de agresivos contornos,
Materiales oscuros para el ánimo triste
Que no alumbran ahora los fuegos de los hornos.
Hombre atroz, tan capaz de vaciar el mundo.

AL MARGEN DE THOREAU

CULTO DE LA AURORA

*I have been as sincere a worshipper
of Aurora as the Greeks.*

«Walden», II

...Y despertarse. ¿Dónde
Mejor que entre arboledas junto a un lago?
«Renuévate a ti mismo cada día.»
Aquel hombre lo entiende,
Y la mañana es siempre edad heroica.
Una Odisea vaga por el aire
Con un vigor perenne de frescura
Frente a una flor que nunca se marchita.
Su Genio a cada uno
Le pone ante el suceso memorable:
La vida que le asalta y le realza.
«Los poetas, los héroes
Son hijos de la Aurora»,
Y en torno al pensamiento así ya elástico
—Bajo la luz del sol—
Todo el día mantiene
Trasparencia temprana.
Hombre: con firme expectación de aurora
Retornemos al mundo. ¿No es gran arte
Modificar la cualidad del día?

AL MARGEN DE UN CÁNTICO

¿Abstracciones?
                    No. Contactos
De un hombre con su planeta.
Respiro, siento, valoro
Gozando de una evidencia,
Padeciendo ese conflicto
Que se me impone a la fuerza.
¿Quién soy yo?
                    Me importa poco.
El mundo importa. Rodea,
Vivo con él: un misterio
Rebelde a la inteligencia
Pero no al amor, al odio,
A náuseas y apetencias.
¿Qué es la vida?
                    No lo sé.
Para una acción es la presa.
Necesidad —me nacieron—
Pide incesante respuesta.
Yo quiero con mi querer:
Amor, desamor, centella
Fugitiva en un relámpago
Frente a la final tiniebla.

Eres ya la fragancia de tu sino.

«Presagio»

Si el azar no era ya mi fe,
La esperanza en acto era el viaje.

Todas las rosas son la rosa

«La Florida»

Fresca persiste una fragancia.
Fin no tendrá mi amor a Francia.

Tiempo.
       Más tiempo.
              ¿Sólo tiempo?

Tesoro dura en creación.

Fin no tendrá mi amor a Italia.
Todas las dalias son la dalia.

ESO BASTA

Ser. Nada más. Y basta.
Es la absoluta dicha.

«Más allá»

El poeta ve su poema,
A la vista como ese pino,
Ahí, ahí como ese roble.

Todos, seres. Y son: suprema
Certidumbre. Basta a un destino.
El poeta puede ser noble.

VISTA Y VISIÓN

Este cristal —candor de abril muy frágil—
Acoge con placer y fiesta al rayo
Que su júbilo trae de tan lejos.
Cristal propicio a luz que lo atraviese.
Gozan los dos —y yo— de esa amistad.

Encantándonos siempre está el enigma
Que al intelecto acucia sin rendirle
Su clave. ¡Luz, pudor! Pudor arisco
Nos vela a toda luz ahí los mundos,
Inaccesibles a visión, a mente.

SOSPECHA DE FOCA

(MAINE)

El mar murmura grandeza.
¿Un punto negro en el agua?
Adivino la cabeza
De una foca. No la fragua
Mi magín, que nunca empieza.

Ondulación de oleaje
Sobre el dorso de una foca.
¿Encontré lo que yo traje?
A la realidad ya toca
Con su potencia el lenguaje.

NAVIDAD EN PIAZZA NAVONA

La Navidad: un Nacimiento
Con sus figurillas de aldea,
Más aldeana si es de barro.
O sea...
Un dios sin forma no lo siento.
Encarnarse debe la idea*.
Entiendo mejor lo que agarro.

«QUERIDO GUILLÉN»

A José María Valverde

Por Dios, no me llame «Guillén».
Me disgusta ese vocativo.
Directamente no convivo
Si no dice «Jorge» también.
«Don Jorge» entona con mi sien,
Sien de cierta edad y sus canas,
Aunque «Jorge» por las mañanas
Todavía me corresponde.
Como sea, lléveme adonde
Nuestras almas estén cercanas.

---

* *Encarnarse... idea:* véase Introducción, págs. 41-42.

EL ABANICO DE SOLITA

A Soledad Salinas de Marichal

O rêveuse, pour que je plonge
Au pur délice sans chemin...
«Autre Éventail - de Mademoiselle Mallarmé»

I

Cuando Solita se abanica,
Una luz hay muy sevillana,
Y su dueña es de sal tan rica
Que a Rafael Alberti gana.

II

Oh criatura soñadora,
Digo conforme a Mallarmé,
Todo el espacio se colora
De ilusiones no bien te ve.

III

Abanico tuyo, Solita,
Hasta cerrado tiene gracia
Porque ya en el aire palpita
Felicidad y nunca sacia.

IV

Esa delicia encuentra senda,
Así no la de Mademoiselle.
Siempre habrá sol si se encomienda
La tarde a tu luz y tu piel.

V

Podría sólo Federico
Poner en copla el sin igual
Privilegio de este abanico
Por Salinas, por Marichal.

CON LOS OJOS ABIERTOS

He de soñar con los ojos abiertos.
Es en la luz que me alumbra las cosas
Donde establecen perfiles de fuerza,
Y a mi atención le descubren su fábula:
Esa verdad que viene desnudando.

PEDRO SALINAS

A Dámaso Alonso

I

Pedro Salinas, él, ya nunca «tú».
No esa triste ficción
Como si me escuchase...
¿Desde la tierra donde el cuerpo a solas

Niega a quien fue viviente?
Con todo su vivir
Murió. Murió del todo.

¿Ya del todo?
Compartiendo los aires
Que acogen nuestra vida,
Aunque ya en propio Olimpo,
Intocado por muerte sobrevive
Sin amenaza de vejez siquiera,
Maduro para siempre en la memoria.
Ser único. Se alumbra una figura.

¡Arranque generoso!
Es él, aquel amigo,
Hoy ya sustancia nuestra,
Y no por comunión.
Tú fuiste... No, no así.
Ningún fantasma invoco.
Él, él, tan admirable.

II

Amigo*.
Sin quimeras
De trances absolutos,
Fiel a tantas verdades relativas,
Comunes las delicias y aflicciones,
Más acá de las últimas reservas:
El clave temperado
De la amistad segura.
Aquel callejear nocturno en Burgos,
Aquella confidencia de Madrid,
Aquel juego de ingenio con tal nombre,
Aquella indignación,
Periódico entre manos...

---

* *amigo:* vidas paralelas, estrecha amistad, comprensión en la
poesía como en la vida.

Trasparentes momentos
En que un alma es su voz,
La voz propicia al diálogo vivísimo,
Y más futuro exige.
¿No trasladaba Aldana a un firmamento
La ansiedad de coloquio?
Inteligencia en acto,
Del corazón no explícito ya cómplice.

Y el silencio —mortal, incongruente,
Brusco— tajó el coloquio.

III

Una curiosidad inextinguible
Se aplica a más lugares, gentes, obras.
¿Para saber? Para entender gozando
De círculos concéntricos de vida
Con pormenores que descubren fondos.
Y los escaparates por las calles
Ofrecen mundos, y las bibliotecas
—¡Aquella biblioteca de Coimbra!—
Son montones de espíritus que aguardan.
Pero aguardan amigos, estudiantes
Retornan a escuchar, y suenan timbres,
Innumerables solicitaciones,
Mientras debemos a diaria Historia
Nuestras ayudas, nuestras disidencias:
Condenación, aplauso, chiste, risa,
Delicada piedad, y qué ternura,
Más, más amor, y tan concreta el alma.
Un placer, y es el lento saboreo.
Todo, todo más claro hasta ese límite
Que sostiene el pudor más varonil.

IV

La muerte no casaba
Con una madurez en propia cúspide,
Frente a los horizontes
De un afán más agudo cada día.
Entre quizá premuras
Una mirada en calma contemplaba
Los azules marinos
O ese blanco papel
Dispuesto hacia la mente.
¡Inseguro el azar,
Tan favorable al caos!
De pronto —¿ya?— la nada.
¿Y aquel esfuerzo por crear un orden
Con esta profusión que nos circunda?
Un destino sin plan
Nos arrebata a ciegas
Al más que nunca en pleno
Merecedor de vida bien cumplida.
Definitivo tajo
Que nos dolió, nos duele.

V

Aquí mismo respiran sus vocablos:
Última quintaesencia,
Y así, con su tictac
Silencioso de pulso,
Mantenido a través
De esta palpitación de la mañana
Que aquí trascurre ahora.
¿Vida de siempre? Vida de ahora mismo,
A un compás que la ahonda, verdadera
Sin ornato, desnuda.

El verso vive en ti,
Lector, y tú lo asumes
Como infusa existencia enraizada
Bajo tu superficie.

Ahí, trasfigurado,
Fluye por ritmo el tiempo
Con su verdad exenta
De accidentes ya inútiles,
Suma concentración de poesía,
Oro que fuese humano.

Pero el oro no basta.
Por un camino humilde,
Un rasgo accidental —recuerdo súbito—
Evoca a todo el hombre con la fuerza
De una resurrección.

Mis ojos se humedecen.
Vivo surge en la luz a quien sabemos
Sin luz cercano al mar
Que él tan amorosamente contemplara.

Y el muerto vivacísimo
Nos conduce a frontera
Sin consuelo, sin aire de consuelo,
Irrespirable al fin.

Murió el amigo-amigo para siempre,
Y muriendo con él sobrevivimos,
Él aún con nosotros.
Algo perenne dura.
Tierra junto al rumor de aquellas olas.
Late bien este hallazgo de palabras,
Sentid: Pedro Salinas.

AMOR A SILVIA*

I

Silvia m'attende e sola?
TASSO, «Aminta», II, 3

1

Un saludo a la amiga:
Las flores contra el tedio.
Tal vez con ellas diga
Más que por otro medio,
Si no fuese palabra.
Tal vez con ellas abra
—Flor hay como una llave
De iniciados— la puerta
Que da a un jardín, alerta,
Jardín de dos, quién sabe.

2

Frágil. Y se preserva.
Débil. Sufre, se esconde.
Triste. Pero no acerba.
Sola. Sin rima. Sola.

3

Huye hacia tu morada.
Conmigo ven a ti.
El amor está aquí,
En mi atenta mirada.

---

* *Silvia:* nombre poético (pastoril) de la amada; mediante los epígrafes, Guillén alude a una tradición: son de Tasso, Gérard de Nerval y Leopardi.

4

No se quiere, desconfía
De sí propia, se condena
—Infierno al fin— a ser fría
Vacilante aún, morena
Con ya latente afición
Enmascarada de pena,
Al fuego pronta, carbón.

5

Tu pasado pasó. No me lo cuentes.
Tu futuro... Lo ignoras. Y yo el mío.
Fluyendo hacia la mar no pasa el río.
Mírale ahí con nuestros dos presentes.

6

Amistad. Y después, ternura. Luego,
Una atracción. Existe más la boca.
Habla. Calla. Me place, sí, me entrego.
Un alma muy concreta me convoca.
Me ilumina el amor, ya no soy ciego.

7

Te dije, me dijiste: ¿Por qué no?
Principio de una gran sabiduría,
Sobre todo en amor. Él es quien guía,
Fuerte, la Creación que Dios creó.

8

Avanza, se desdice, me promete,
Retira un sí que torna, titubea,
Busca pretextos.
                    —¡No!
                            Me da un billete
Para más tarde.
                    Sobre nubes dea,
Mujer-zigzag, derroche de cohete.

9

Ni amor ni no amor: absurdo.

No me engañas. Tienes miedo.
Callejón hay sin salida.
Ni avanzo ni retrocedo.

Sólo un dolor: más absurdo.

10

Afable, de pronto lejana.
Jugosa y bruscamente seca.
Desconcertado, soy yo el torpe.
Amor: paraíso y desierto.

11

En una exaltación me sumes
Opuesta a la serenidad
Que nos uniría más dentro,
Más dentro del más firme amor.
Busco un entusiasmo tranquilo.

12

Especialista soy del gran presente,
Y presente es presencia, tu presencia,

Vivaz, vibrante, deleitosa, cálida,

Que a deseo en retorno me sentencia,
De su futuro sin cesar simiente.

13

Nuestro diálogo se desliza
Por el camino del sosiego
Mientras, jamás espantadiza,
El alma que a ti sólo entrego
Siente sin querer un aroma
Ya entonces ni olor, y se asoma
Con solicitud a tu alma,
Y hacia tu más secreto hechizo
Sin darme cuenta me deslizo,
Indócil a mi propia calma.

14

El tiempo necesita espacio suyo.
Para ser ha de estar. Bien extendido,
Vive de veras.
                    Temporal, rehuyo
Pura mi alma. Soy porque resido.

15

Amor, difícil empresa:
Un involuntario apego
Profundo en que tanto pesa
Nuestra voluntad de juego.

16

Me persiguen, me hostigan
Alguna vez fantasmas
Cerrándome la puerta
Que da entrada a mi alma,
O más pérfidamente
De mi cuerpo me apartan:
Quieren que sea irreal
También.
      No.
             Tú, mi clara
Realidad, tú, tú dame
La mano. Tú me salvas.

17

Descendamos hasta esa mina
Donde todo queda más junto:
Alma y cuerpo forman un punto
Que irradiando noche ilumina.

Entremos más adentro en la espesura

Ascendamos hasta esa cima
Que todo lo junta excedido:
El viento al follaje se arrima,
Y el bosque es murmullo de nido.

18

Tensión de nervios, obsesión
Por túnel de espera, de un ansia,
Hambre de horizonte o la sed
Con agua que tocan los labios,
Angustia en las dichas, amor.

19

Desear, desear con un deseo
Que gira y clama en extenuante ronda.
Inmóvil, das promesas. Yo te creo.
Sólo viviente realidad responda.

20

La página está en blanco y nos espera.
Nuestras dos escrituras sucesivas
Alternarán sus frases de manera
Que yo adivinaré lo que no escribas
Y tú sabrás leer mi alma entera.

21

Veloces horas breves... Y me angustia
Sentiros de antemano ya pasadas.
Tanta flor en capullo será mustia.
Amor: tus horas son más delicadas.

22

Tengo que merecer tu confianza,
Ese regalo mágico, sin límites,
De un futuro tan íntimo que implica
Tu persona total. ¿Salvada? Riesgo.
Yo seré quien lo ahogue entre mis brazos.

23

Surgiste así, de improviso
Cuando no esperaba nada,
Y mi fiel estrella quiso
Que me fuese regalada
La aparición esencial.
Y está invadiéndome tal
Necesidad de tu vida
Que es a tu ritmo tesoro
Cualquier hora: suena a coro
De Creación compartida.

II

Son oeil étincelait toujours dans son sourire.
Gérard de Nerval, «Sylvie», x

24

Traída por el azar,
Te abandonas a mis brazos,
A tu destino, común
A nuestras dos voluntades.

25

Te sé y te ignoro a tal grado
Que ante el propio sol te invento,
Y con tino delicado:
Tu realidad es mi cuento.

«Las mujeres.» Grosería.
«La mujer», única siempre,
A un tiempo todas, esencia
Sólo existente y vivaz
Gracias a ti con tu nombre:
    Tú.

Habito el amor.
                Me envuelve,
Solar, el viento profundo
De una dicha respirable.
Amor. La tierra que piso,
Y la inmensidad clarísima
De una luz entre fervores
Que nos alumbran: nosotros.
Nosotros, recién creados
En fábula de tal fuerza
Que es verdad. ¿Tú, yo? Nosotros.

Ya tu boca está dispuesta
        Para el beso.
Ven. En tu armonía ingreso.
        Somos fiesta.

Te quiero: me doy.
Terrible alegría.
Todo el tiempo es hoy,
Todo es tuyo: mía.

30

Tu mano con mi mano,
Las primeras caricias.
Los dedos se entrelazan
Tiernamente y deslizan
Silencioso mensaje
—Tú, yo— mientras arriba
Va sonando la música,
Y se nos reduplica
Sin cesar el concierto
Que entrelaza las íntimas
Cadencias de dos manos
Con esta sinfonía,
Y por entre la pública
Circunstancia se aísla,
Firme, tenaz, un túnel
De avances y delicias
Donde otra vez despierta
La magia más antigua,
Y la mano —que fácil
Amistad dilapida—
Sólo dice esperanza
Sin fin en una mina
Secreta de tensión
Que es tesoro, que es vida.

31

Nada se repite.
Un amor inventa

Contra el tiempo hostil

La más violenta
Forma de desquite.

«Eres quien yo esperaba desde siempre»,
Concluyes. Y me siento más humilde,
Con dulzura abrumado y como indigno
De ese papel, que yo no represento.
Contigo soy quien tú me crees: creas.

Tu boca es verdadera y me persuade
Con labios que son míos y palabras
Ante mí sin cesar reveladoras
De ese desnudo ser que a ser no llega
Sino con mis palabras y mis labios.

33

—¿Qué soy yo para ti?
¿Cuál es mi propio nombre?
¿Amigo, compañero?

—Tú no existes así.
Único nombre: tú.
A su través te quiero.

34

De tu ausencia no me consuelo.
Besé tus labios, tu pintura,
Veloz amor. En mi desvelo
Señal rojiza aún perdura.
Tu artificio dobla mi anhelo.

35

Labios, labios contemplados,
Más, soñados, me proponen
Realidad tan fabulosa
Que habrá de ser inmediata.

36

Tus labios se me den secretos
Con su leyenda más desnuda.
Abolidos todos los vetos,
Amar en adorar se muda:
Labios a mi culto sujetos.

37

Te apoderas de mí, me arrastras
Hacia tu ser, a tu destino.
Y otro destino va surgiendo,
Gran incógnita hacia el futuro.
Tiembla, tiembla mi vida oscura.

38

Yo quiero
Profundidad de gozo con sustancia
Que en la gloria del hombre nos implante.
Yo quiero
Que penetren los rayos de levante
Por el cristal nocturno de la estancia.
Yo quiero,
Revelación de aurora, que ilumines
Nuestro sumo jardín de los jardines.

III

39

Sigue oscura la noche. No sospecha
Próxima el alba.
             Siento claro el día
Que surgirá, vivísimo, sin fecha:
Tan profunda hacia el sol nuestra alegría.

40

Amor, amor, inspiración y juego
Se sabe y se improvisa. Relaciones
Placenteras, ahora necesarias,
Surgiendo van del ímpetu inocente.
Y embelesados somos, somos, somos.

41

Ímpetu irrumpe de nuevo
Que a nuestra pasión nos alza,
Testigos de los sucesos
Inspirados, regalados
Que ocurren en nuestro reino.

42

Busco, gravito, me expreso.
Logrando va el alma toda
Convertirse en este preso
Que quiere ser gozo y boda.

43

Muy tierno el beso, junta
Sin cesar dos afanes.
La respuesta es pregunta.

44

Tenazmente progreso
Desde mis labios hacia
La fuente que no sacia.
Torna y retorna el beso.

45

Por nuestro amor de anoche iluminados,
Nos decimos adiós y nos perdemos,
Entre el sol y el rumor de la jornada,
Firme el retorno a nuestra nueva noche.

46

...Y tiendo hacia la luz mi gozo,
También luz en el nuevo día.
El despertar —amor, amor—
Te afirma a ti mientras me afirma.
¡Amor, amor! Ya la mañana
Nos impulsa a una gloria amplísima,
Que persiste leve y sin término
Sobre las horas caedizas.
A ti la luz, amor, amor,
Musa-meta del día-dicha.

47

Mujer eres de pena,
Tan propicia a un descenso
Brusco o muy gradual
A un sótano sin nadie,
A una cueva de roca,
A un retiro entre muros
De aceptada desgracia,
Que ante el hombre se tiende,
Precario salvador.

48

Esa que vivió aquellos días
Aun no alejados por el tiempo,
A mayor interna distancia
De tu espíritu verdadero,
Esa que fuiste —fervorosa,
Deliciosa, pasiva en celo—
Cálidamente late aquí,
Dentro del cuerpo tan oferto
Que de cabeza a pies recorro,
Mío entre misterio y misterio.

49

Tu profundidad me fascina,
Visible o invisible, si
Revelación al tan rendido,
Velada a una solicitud
De contacto que, pulso a pulso,
Vuelve y reconoce la fiel
Zona oscura de propia estrella,
Noche iluminada al fulgor
De mi embeleso vehemente,
Arrebatado a realidad.

50

Ojos cerrados, quieta,
Absorta, concentrándote,
Irradias atracción
Desde ese ya silencio
Del ser más inmediato
Que se da, se abandona,
Gentil, a su quietud
Soberana, potente,
Y me absorbes, me absorbes,
Presa, mi presa... Tuyo.

51

Corza en temor-amor,
Rauda corza instintiva
Que apenas se detiene,
Y rozando, dejando
Se inclina, pasa al vuelo,
Huye hacia algún refugio
Sombrío de follajes,
Última soledad
En la selva latente,
Corza de nuevo, corza.

52

Noche clara del hombre.

Henos ahora bajo las estrellas.

Amor elemental y ya perfecto,
Estricto amor esencialmente mágico,
Realidad en su misma creación.

Tan entrañables bajo las estrellas.

Noche clara del hombre.

53

Sobre mis párpados, noche
Se me extiende negra, clara:
Negra de olvido y reposo,
Clara por desvelo en alma.
Y a mi lado se me tiende
Prieta, pequeñita, cándida,
Una figura. No está,
Pero se impone pensada
Según es, tan primorosa,
Tan desnudamente Maja.

54

Tantas lentas caricias
En torno de tu cuerpo
Conducen su entregado
Fervor hasta un placer
Que te abarca y recorre
Mientras aflora a puntos
De sosiego sutil
Donde va estremeciéndose
La vida iluminada
Por su inmortalidad.

55

A ti junto, bajo la noche
Sin ninguna visible estrella,
Me recojo en calor y paz
Con la mano sobre la hierba,
Ese común calor de ser

Que siempre nos une a la tierra,
Siempre fundamento en apoyo
De nuestra ecuánime certeza:
Por la tierra y la hierba noche
Que a paz estelar nos eleva.

56

Candor de perspectivas,
Remotas y a la vez
Inmediatas. Activas,
Quietas.
       Cuerpo, piel, tez.
Ahí mi mayo fundo.
Se ofrece a mi avidez
Más Allá real de mundo.

57

Ahora pensarás en mí
Con una ternura precisa,
Flecha que vibrando quedara,
Suspensión de beatitud
Que dura, se demora, dura,
Rayo oferto de luz muy tierna
Sin cesar en rumbo hacia mí.

58

Ofrecida, tendida,
Pura, firme, sutil,
Vibrante, respondiente,
Honda, clara, gozosa.

59

El reloj de la torre da las cuatro.
     Contigo madrugada.
¿Tú no duermes?
              Mi alma desvelada
    Ve en tu imagen
               —las cuatro—
Lo que esta oscuridad no me consiente.
    Las cuatro.
          Di, ¿te agrada

Tu doble vida así presente-ausente?

60

Tanto silencio en torno tuyo, mi amor dormido,
Da al amor y a la noche su rumor estelar
Mientras un gran runrún de máquinas monótonas
Es fondo a paralelos galopes de caballos,
Caballos anhelantes, a compás incesantes.
Quedan a la intemperie tesoros de tesoros
Reservados a espacios vírgenes, sin sentido.
Incógnitas palpitan, se afilan, arden, claman
En la más anchurosa desolación desierta.

Y a través de lo oscuro, tú, criatura, clave.

REPERTORIO DE JUNIO

Mi amor es como un escrito de trazo firme *
Ibn Hazam de Córdoba, «El collar de la paloma», XII

1

La puerta da, bien cerrada,
A un jardín quizá inmortal.
Pero el amor la entreabre.
¿Inasequible futuro?
Lo entrevemos, lo queremos
Como practicable hondura.
¿Qué nos promete el amor?
Junto al jardín columbrado
No nos engaña diciendo:
Concebid la eternidad.

2

Contra aventura en orgía,
La relación cotidiana.

¡Oh clave bien temperado!

Amor, según Bach, alía
La noche a tarde y mañana.

* *Mi amor... firme:* sorprendente metáfora grafológica; véase
nota de pág. 212.

3

El minuto presente
Se me agolpa con fuerza
Que me conduce lejos,
A los años futuros
Donde yo no podría
No ser, no compartir
Eso que siendo irás
En tu propia persona,
A lo largo de un hilo
Frágil, imprevisible.

4

No es banquete en mantel de preparado
Placer, aunque se ofrezcan exquisitos,
sabrosos alicientes. No es concierto
Sujeto a linde y curso de programa,
Aunque tanta armonía relacione
Personajes con actos en la escena,
Siempre acorde a una música insonora.
No es rito que reitere estrictamente
Palabra y ademán, poder sagrado,
Aunque importe el retorno del acierto.

Amor: una memoria en creación.

5

Sensualidad: te debo el gran enlace
De mi forma —feliz— a ya más alma,
Y todo junto soy mi pleno acorde.

6

Sólo un pájaro es quien pía.
Con discreción interpreta
La hermosura de este día
Fundido a la más concreta
Forma de nuestra alegría.

7

Gracias, profundamente gracias,
Criatura de mediación.
Mi vida trasciende contigo
Sus límites. ¿Hacia qué meta?
¿Hacia esa altura del instante
Sin ningún futuro de muerte?

8

No acaba de estallar esa tormenta
Que está pesando, cálido ya anuncio.
Fragor remoto vibra en mis oídos
Como un eco del mero pensamiento.

La noche tiende por sus playas ondas
Mudas aún, marea devorante.

Y tú, como contraste sin designio,
Emerges de lo oscuro, cuerpo cándido
Que ha de salvar su islote y nuestra firme
Dicha contra envoltura de tormenta.

9

Son tantas las dormidas soledades
En torno del amor

        —invicto, vela—

Que la ciudad retorna a sus orígenes,
Reproduce el silencio aún no poblado,
Es tierra oscura que lo aguarda todo.

10

Desear, desear soñando,
Durante el amor soñar más,
Y la plenitud se consuma
De nuevo para renacer.

11

Hierba tan nocturna, hierba,
Dame tu consuelo oscuro.
Amor contra vida acerba:
    Mi conjuro.

12

Tus labios. Misteriosos,
Aunque tan evidentes.
(Nunca se los contempla
Bastante.) Con un alma
Tan comunicativa
Que alumbra persuadiendo:
Labios de la verdad.

13

Mis manos y mis labios y mis ojos
Rehacen
Con creciente embeleso
Próximo al éxtasis,
Activo sin embargo,
Un incesante viaje
De reconocimiento que a la vez descubre
Tanta comarca donde nunca es tarde:
Aurora permanente
Sobre cimas y valles.

14

Entre las combas y las sombras
De tu hermosura no me pierdo,
Y tu nombre claro proyecta
Luz muy personal sobre el cuerpo,
Que está en mi amor y fuera de
Su mágico radio secreto,
Y a esa tu vida, más allá,
Bajo sol y luna me entrego,
Toda tu persona conmigo.
Nuestro doble futuro quiero.

15

Venus, radical dulzura,
Minerva, luz de la mente,
    Que ilumina
Tal placer que en él fulgura
Tu hermosa adhesión consciente,
    Diamantina.

16

Luz muy débil, luz velada
    Por un paño.
Con caricia de mirada
    Te acompaño

Desde tu inmóvil reserva,
    Tan remota,
A pasión que no se agota,
    Dueña, sierva,

Y despacio, casi muda,
    Se confía:
Va emergiendo tu desnuda
    Valentía.

17

Como si fuera violento
Ingenuamente levantisco*,
Vive el amor en su elemento
De ingenua arrogancia tenaz.
¿Lo adivinas cuando lo siento?

18

Conjunción oscura,
Acorde en silencio.

Dos fuerzas se entienden.
Ya también personas,
Ellas son... nosotros
En cúspide amante,

---

* *levantisco*: rebelde, sedicioso.

Tan protagonistas
Aunque espectadores.

Nosotros: veraz
Teatro de amor.

19

Amor. Aquí está. De veras.
Ay,
El pasaje, prodigioso,
Es
Tan resuelto que me aflige
Con su amenaza el anuncio
De la suma perfección.
Y...
Felicidad desolada,
Ay.

20

No te comparo a la flor.
Eres sin nombre tú misma.
¡Oh capital de mi culto!
Mi destino en ti se abisma.
Sea el silencio en tu honor.

21

La acogida me otorga límites de dulzura
Donde el ardor es ya su tierno poderío,
Y concurre el vivir con una ligereza
De rayo que alumbrara brisa y penumbra en Junio.

22

Alta noche profunda de intemperie,
De oscuridad con peso de tiniebla,
De soledades tan inmemoriales
Que el presente se erige sin historia
Como el rumor del mar sobre la playa,
Como el viento por mieses de llanura,
Como la luz de las constelaciones,
Como el amor callado en el abrazo
Que sumerge en más noche a los dos juntos,
Noche de inmensa pulsación sin sueño,
Sin sueños. Algo desde un fondo zumba
Sin cesar con zumbidos resurgentes
Que nada saben de amorosos brazos
Entre el rumor del mar y de la noche.

23

La caricia adormece,
Y a una región conduce
Más cercana a la tierra,
A su silencio y sueño,
Bien tendidos, dichosos.

24

Y tu cuerpo está ahí, remoto y mío,
Inmóvil, invisible, descuidado,

Y mientras me abandono a su nostalgia,

La oscuridad absorbe en su sosiego
De gran remanso nuestro amor flotante.

25

Duermes. Mi mano toca sueño. Duermes.
Gozo de tu inocencia confiada,
De tu implícita forma en esa noche
Que hace tan suya con amor la mano.

26

Te siento dormir sin verte,
Serenísima, sagrada,
Nunca imagen de la muerte,
Y oponiéndote a la nada
Triunfar como piedra inerte.

27

Las estrellas
           se pierden
                    en tu sueño.

Mientras, mi insomnio salva una conciencia
Que a esa muda negrura da sentido.

Es nuestro amor quien a las soledades
Impiden ser absurdas, vanas, hórridas.

El corazón, armónico al conjunto,
Refiere nuestros cuerpos al gran ritmo.

También son astros en el firmamento
A través de la misma noche, nuestra.

28

Eres la maravilla natural
Y simple, sin propósito de norma,
Frente a frente a los riesgos del destino.
¡Si tal futuro no acabase nunca!

29

La delicada masa de su sueño
Se espesa junto a mí, sin paz nocturna,
Que así convive con la invulnerable,
Cuyo retorno al despertar es siempre
La súbita inmersión en nuestra dicha.

30

Sumido en un calor de dos, el sueño
Relaja su clausura, casi abierta
Dulcemente hacia el día aún isleño.
Calor, amor.
           La Historia tras la puerta.

UNA PRISIÓN

(1936)

Aquel hombre no tuvo nunca historia,
Pero tenía Historia como todos
Los hombres. Cierta crisis… Le apenaba
Recordar. Una vez habló, sereno.

Evoco mi prisión, no «mis prisiones».
Fue muy breve mi paso por la cárcel.

Cárcel en horas de mortal peligro.
Nos rodeaban sólo fratricidas.

«¿Hoy la suerte común será mi suerte:
Que sin forma de ley se me fusile
En nombre del Eterno, aquí tan bélico,

De sus milicias y de sus devotos?»
Confiar en mi estrella fue mi ayuda.
—¿No en Dios? —Andaba con los asesinos,

Según los asesinos y sus cómplices.

A LO NARCISO*

No te mires ya más, que no eres rosa:
Narciso tú también. ¿Un dios? Poeta
Que da a su imagen duración de meta,
Y así con su desnudo se desposa.

¿Lo ves? Ya tanto espejo es una fosa
Donde se pudre —malva, violeta—
Ese amor ¡ay! que nunca se completa,
Solo tendido en lecho que es su losa.

No, no te desesperes si te ofusca
Tu cenicienta soledad vacía,
Y te reduces a tus rasgos lisos.

Te perderás alegremente en brusca
Floración de tu fe, y esa alegría
Será inmortal. ¡Hermosos, los narcisos!

---

* *Narciso:* alusión al yoísmo y a la desnudez poética de Juan
Ramón Jiménez; véase nota de págs. 116-117.

MÁS ALLÁ DE NARCISO

De esta mi oscura soledad esquiva
Nace un ímpetu brusco tan agudo
Que a mis propias imágenes no acudo,
Y un más allá en mí mismo se reaviva.

«Mí mismo.» ¡Yo! No marcho a la deriva.
Sé al fin que soy sin contemplarme nudo
De ser y de saber, y mi desnudo
Tiembla en la sombra bajo luz de arriba.

Como no me detienen mis reflejos,
Con avidez me lanzo a una aventura
De sol. Lejos de mí conmigo, lejos

He de otear y descubrir el orbe.
Desde mi cárcel, «yo», frente a la anchura,
Soy diminuto centro que la absorbe.

SHAKESPEARE

SONETO LXIV

When I have seen by Time's fell hand defaced

Cuando por cruel mano del Tiempo maltratado
Vi la altiva riqueza de sepultas edades,
Cuando vi derrumbadas las torres eminentes
Y el bronce esclavo eterno de las mortales furias,

Cuando al hambriento océano vi aumentar sus ventajas
Y extender su poder al reino de la orilla,
Cómo la tierra firme con la alta mar obtiene
Acopio ya en la pérdida, pérdida en el acopio,

Cuando vi sucederse tales cambios de estado,
O todo estado al fin rendido a decadencia,
Aprendí a cavilar por entre tantas ruinas
Y supe que este amor ha de quitarme el Tiempo.

Es idea de muerte. No hay más acto posible
Que llorar poseyendo lo que perder se teme.

VALÉRY

LAS GRANADAS

«Les grenades»

I

Duras granadas entreabiertas, que cedéis a un
exceso de granos: creo ver soberanas frentes,
estalladas por sus descubrimientos.

Si los soles por vosotras sufridas, oh granadas
entreabiertas, trabajadas por el orgullo, han
resquebrajado vuestros tabiques de rubí,

Y si el oro seco de la corteza, a petición de una
fuerza, revienta en gemas rojas de jugo,

Esta ruptura luminosa hace soñar a un alma que
tuve con su secreta arquitectura.

Ya cedes a tus elementos,
Oh dura granada entreabierta:
Creo ver la frente en alerta,
Estallada por sus inventos.

Si soles sufridos por ti,
Granada asomada, granada
Por el orgullo trabajada,
Hienden tabiques de rubí,

Y si el oro de la corteza,
A petición de una dureza,
Rompe en gemas rojas de zumo,

Esta luminosa ruptura
Soñar hace a un alma que exhumo
Con su secreta arquitectura.

WALLACE STEVENS

A la memoria de Renato Poggioli,
traductor de W. S.

ESTUDIO DE DOS PERAS

«Study of Two Pears»

I

Opusculum pedagogum
Las peras no son violines,
No son desnudos ni botellas,
No se parecen a otros cuerpos.

II

Son unas formas amarillas
Compuestas nada más de curvas
Que se comban hacia la base,
Y con algún toque de rojo.

III

No son superficies de planos
Que posean perfiles curvos.
Son sencillamente redondas
Afiliándose hacia la cúspide.

IV

De tal modo están modeladas
Que ofrecen girones de azul.
Una hoja —que es recia, seca—
Suspendida sigue del tallo.

V

El amarillo brilla, brilla
Con varïantes de amarillos
—Gualdas, anaranjados, verdes—
Florecientes sobre la piel.

VI

Las sombras de las peras son
Manchones del verde mantel.
Las peras nunca se revelan
A gusto del observador.

345

DOS PERAS

Estos dos cuerpos únicos
Se parecen... ¿a qué?
No busco semejanzas
Lo que son ya lo sé.

Son formas amarillas
Con algún rojo toque,
Azulándose en curvas
A la luz de mi enfoque.

Las curvas redondean
El cuerpo hacia la cumbre.
Una hoja del tallo
Pende sin pesadumbre.

El amarillo brilla
Con su vario matiz.
Desde el gualda hasta el verde
Se alumbra su desliz.

La sombra de las peras
Fluye y mantel conquista.
Las peras no dependen
De mi plan, de mi vista.

J. G.

(1893-19   )

I

Primera fecha: tradición segura.
Se ve en la fecha posterior su base.
Mil novecientos. ¿Y...? Vital blancura.
¡Qué agonía vivir si adivinase!

II

Poeta. Digo «coplero».
Poesía. Digo «coplas».
¡Cópulas! Es lo que quiero,
Inspiración, si tú soplas,
Con el mundo verdadero.

III

Jorge Guillén, castellano,
George William en inglés,
Da con el nombre la mano,
Y así ya dice quién es:
Varón sin truco ni treta,
Giorgio Guglielmo, poeta.

AL AMIGO EDITOR

En la página el verso, de contorno
Resueltamente neto,
Se confía a la luz como un objeto
Con aire blanco en torno.
«Cántico», «Lectura»

TODO EL POEMA LLENA ENTERA PÁGINA.
SE REPARTEN LOS BLANCOS ENTRE LÍNEAS
Y POR CORTESES MÁRGENES CON JUSTA
PROPORCIÓN. EL ÁNIMO CONTEMPLA,
RELEE BIEN, DOMINA EL MUNDO, GOZA,
LA MENTE, LOS OÍDOS Y LOS OJOS
ASÍ CONSUMAN ACTO INDIVISIBLE
COMPARTIENDO EN SU CENTRO DE SILENCIO
TAL PLENITUD DE ACORDE MANTENIDO
POR ESTA CONVERGENCIA DE LA PÁGINA.

PERFECCIÓN DE LA TARDE

Para Steve, risueño testigo

El poeta dice: ¡Qué bien! Y siente sin palabras: ¡Armonía! El poeta cree: ¡Jardín!

Jardín en junio. Tendidas, frondosas ramas de roble, dosel de un descanso.

Unas ardillas se divierten corriendo troncos. Pájaros, apenas cantores, apenas están.

Y un petirrojo lanzó al vuelo su hez. Ay, calva del poeta. Sí, «Todo en el aire es pájaro»!

ENTRADA LIBRE

El alma vuelve al cuerpo...
«Más allá»

¿Yo en marfil con su lunería?
Ese hombre que se despierta
No es el autor con su apellido.
Tú eres, es tu acción más cierta,
Cada mañana la has vivido.
Poesía a todos abierta:
                    Poesía.

DOBLE INOCENCIA

«Perdón. ¿Qué es poesía?»
Pregunta el inocente a su maestro.
—Soy poeta. No sé. Definición no guía
Nuestro empeño más nuestro.
Yo no soy en las fórmulas tan diestro
Que pueda responderte con finura.
¿Qué es poesía? dices.
Felices
Los profanos. Su gusto les procura
Soluciones. Quizá tu propia tía,...

349

MÁS HUMANO, MENOS HUMANO

«Inspiración arrebatada»,
O el automático ejercicio
Del lenguaje como una espada
Que a ciegas se pone al servicio
Del más oscuro subconsciente:
Tentativas de quien disiente
De su conciencia, fútil urna
Del luminoso pensamiento,
Y quiere el primario elemento:
Naturaleza taciturna.

MAL VIVIR

El posible poema deseado
Que se ronda más bien que se imagina,
El poema en hondura submarina,
Y emerger no se puede de ese estado,

El poema hacia un dios balbuceado,
Y entre rotos de nube se confina,
El poema errabundo con sordina
De sombras sobre un limbo sin pecado,

El poema que no se escribe porque
No acaba de vivirse lo vivido,
Todo flotando en su falaz boceto...

¿Y seré yo el verdugo que lo ahorque,
Y solamente quedará un quejido,
Y mi vivir será tan incompleto?

MUSA PURÍSIMA

La rima anuncia secretos
Que van de objetos a objetos.
　　　Más el ripio. ¡Embriaguez,
　　　Decirlo todo a la vez!

Soy ya tan feliz así
Que agrego: N'est-ce pas, you see?

Pero cuando me remonto,
Ay, suspiro: Bel tramonto!

A trechos la rima es
Regocijado traspiés.

¿Ves? Si es feo, llama al gato
—No lo dudes— Mauregato.

Si no le juzgas tan feo,
No le llames más que Orfeo.

Todo ya se relaciona
Estación central: persona.
　　　Ripio, mi alma no es mía.
　　　¡De todos es mi alegría!

LO PERSONAL

¿Siempre biografía?

Inventando me hundo,
Me hundo en un profundo
Pozo dentro de mí.
La sangre carmesí
Me impulsa, me ilumina.
El pozo es una mina
De carne soterraña
Que late como entraña.
Es la entraña del mundo.
Desde ella lo refundo.

¿Autobiografía? Del hombre, ya no mía.

RIMAS EN VILO

Un poderoso empuje mantiene en vilo rimas,
        Portavoces acaso
De ese filón yacente bajo las bellas cimas
        De todo Garcilaso.

Palabras han vivido, neutrales criaturas,
        Sujetas a deberes.
Libres, a otro nivel, corren sus aventuras.
        —No sé quién soy, quién eres.

Rimas y rimas nacen, prosperan —¿ya me envicio?—
        A gusto de mi mano.
¿Por qué tan placentero persiste ese ejercicio?
        Bajo el sol, otro arcano.

SÓLO POR JUEGO, NUNCA

A Violante

Al principio diré... ¿quizá «montaña»?
Columbro una montaña mientras siento
La conversión del aire en elemento
Que afirma la eminencia como hazaña.

Por eco vuelve un «...aña» casi «braña»,
Y aquel aire me infunde nuevo aliento.
¿No veré así la braña bajo el viento
Removedor de la suprema España?

Libre respiro. ¿Qué propone alarde
Tan soberbio de tanta cumbre? Tarde,
Muy pura se me ofrece sin promesa

De misterioso resto acaso en ronda.
¿La captaré si digo «luz redonda»?
Juego tras juego, realidad ilesa.

COPLAS DE FRONTERA

La frontera: casi duermo.
     Va un poemilla
Contra el sueño, contra el yermo
     De otra Castilla.

Quiero dormir, no soñar,
     Dormir sin duende
Que me retenga en su cár-
cel, turbio aquende.

353

No quiero insomnio en que pongo
            Juntos vocablos
Que ahondan la noche, Congo
            De larvas-diablos.

Noche sin mundo que ver
            Da un hueco horrendo.
Nunca me cansa el placer
            De lo que entiendo.

En tiniebla noche larga
            Con poemilla
Que me absorbe, que me embarga...
            Honda es Castilla.

REGRESO A LA SALUD

Este lento regreso me devuelve,
Gradual, por escala de ascensión
Muy cautelosamente dirigida,
La conciencia —mayor, ahora atónita—
Del equilibrio tan extraordinario
Que sostiene esta máquina del cuerpo,
El dédalo puntual de los enlaces
Entre músculos, venas, nervaduras,
Orbe ya de prodigios sabihondos.
¿Obra de Dios? ¿Obra de azar? Me pasma.

LAS CIGARRAS

Las cigarras derraman chirriando estridencia,
Una sola estridencia de la misma energía
Que chasca en seco, luce, chisporrotea y siempre
Repite con ardor monótono de agosto
El general ataque: bajo el azul los pinos.

PENA DE INSOMNIO

No dormir, no soñar, sentir el tiempo…
Y se desliza tan pausadamente
Que se calma, se para, se remansa,
Caudal de un río verde ahora lago,
El lago oscuro de una barca inmóvil.

A LA RECÍPROCA

Heme aquí. Desperté. Me ciñe el mundo
Con el sosiego amable que le impongo,
Sosiego tan infuso en la materia
Que impersonal irradia y se me impone.
Es grato ser objeto para el mundo.

PLAUSIBLE CONJETURA

¡Las doce en el reloj!
El mundo es otro círculo.
¿Se me revela ahora
Su centro, su principio?
Todo es aquí planicie
Dorada por los trigos
Que espiga a espiga forman
El cuerpo de un estío
Con voluntad de ser

Un solo impulso erguido
Bajo el cielo atrayente
Desde ese azul.
                    Admiro
Con fervor de mirada
Convergencias y signos
De algo que yo, torpe,
Escruto y no descifro.
Y mientras mi ignorancia
Sigue curva de río,
Contemplo —fascinado—
La Creación en vilo
Suspendida... ¿de qué,
De quién? Atisbo
Plausible conjetura.
¡Ay, nada más, Dios mío!

ÚLTIMO REPLIEGUE

Les derniers dons, les doigts qui les défendent
VALÉRY

No.

Es el último repliegue,
Tan íntimo que la mano
Basta para defenderle.
Entregándose va todo,
Pero allá, más allá siempre
Queda un profundo retiro
Donde se resguarda —leve,
Y por eso al fin triunfante—
La soledad de los seres,
En rumbo hacia sus nocturnos
Interiores. Fatalmente
Algo no se comunica,
Virgen. ¿Habrá un No más fuerte

Que todo amor?
                —Quiero...
                        No;

No quiero.

No.

LA VIDA EN EL AIRE

Una vez ha de ocurrir:
El aire no será mío.
La vida que respiraba
Sin querer —fatal ahínco
Por inconsciente exigencia,
Un solo soplo continuo—
Dejará de ser atmósfera
De mi pecho. Mundo en vilo,
Que me sostenía el aire,
Se desplomará.
                ¡Respiro!

EL CUENTO DE NUNCA ACABAR

                                A mi hijo

El mar, el cielo, fuerzas sin fatiga,
Concurren bajo luz serenadora.
Sólo soy yo en la tarde el fatigado.

Se impone a todos este azul intenso,
Azul tendido hacia su propia calma,
Apenas iniciándose

Variaciones de espuma.
Vagos cuerpos de nubes
Aguardan el crepúsculo y su fiesta.
Mis ojos ven lo que han amado siempre,
Y la visión seduce más ahora,
Frágil bajo penumbras
Que a través, ay, de esta mirada mía
Tienden hacia lo umbrío.
Los años, si me dieron sus riquezas,
Amontonan sus números,
Y siento más veloz
La corriente que fluye arrebatándome
De prisa hacia un final.

No importa. La luz cuenta,
Nos cuenta sin cesar una aventura,
Y no acaba, no acaba:
Desenlace no hay.
Aventura de un sol y de unos hombres.

Todos, al fin extintos,
Se pierden bajo un cielo que los cubre.
El cielo es inmortal.
Feliz quien pasa aquí,
Si este planeta le ha caído en suerte,
Sus efímeros días
Como los del follaje
Que será amarillento.
¿Soy yo más que una hoja
De un árbol rumoroso?
Un destino común
—¿El único? —nos junta en la corteza
De un astro siempre activo,
Todos así partícipes
De un movimiento que conduce a todos
Hacia... ¿Tal vez no hay meta?

Ese mundo, que en mí se va perdiendo,
Frente a mí sigue intacto
Con su frescor de fábula.

Un abierto balcón,
Una sombra latente junto al muro
De una calle en la siesta del estío,
Calles, ciudades, campos, cielos, luces
Infinitas... Y el hombre
Con su poder terrible,
Y en medio de los ruidos,
Por entre los desórdenes innúmeros,
La habitual maravilla de una orquesta.

Una vida no cabe en la memoria.

Ámbitos de amistades,
Espíritus sin roce
Con Historia, con público,
La mujer, el amor, las criaturas,
Nuestra existencia en pleno consumada
Entre bienes y males.

Surge una gratitud
¿En cuántas direcciones?
Se despliega la rosa de los vientos.

¡Amigos! Este Globo
Florece bajo diálogos:
Extraordinaria flora
—Mezclándose a la selva
Que nunca se destruye—
Por entre las historias diminutas
Que recatan sin fechas los instantes
Supremos, tan humildes.
La raíz de mi ser los ha guardado
Para abocar al que yo soy. Más rico,
Respirando agradezco.
El hombre entre los hombres,
El sol entre los astros,
¿En torno a una Conciencia?

(**Más** que una hoja yo no soy, no sé.)

Miro atrás. ¡El olvido me ha borrado
Tanto de lo que fui!
La memoria me oculta sus tesoros.
¿Cómo decir adiós,
Final adiós al mundo?
Y nadie se despide de sí mismo,
A no ser en teatro de suicida.
Estar muerto no es nada.
Morir es sólo triste.
Me dolerá dejaros a vosotros,
Los que aquí seguiréis,
Y no participar de vuestra vida.
El cuento no se acaba.
Sólo se acaba quien os cuenta el cuento.

¿Habrá un debe y haber
Que resuma el valor de la existencia,
Es posible un numérico balance?
Ser, vivir, absolutos,
Sacros entre dos nadas, dos vacíos.
El ser es el valor. Yo soy valiendo,
Yo vivo. ¡Todavía!
Tierra bajo mis plantas,
El mar y el cielo con nosotros, juntos.

OBRA COMPLETA

Siempre he querido concluir mi obra,
Y sucediendo está que la concluyo.
Lo mejor de la vida mía es suyo.
¿Hay tiempo aún de más? Papel no sobra.

Al lograr mi propósito me siento
Triste, muy triste. Soy superviviente,
Aunque sin pausa mane aún la fuente,
Y yo responda al sol con nuevo aliento.

¡Dure yo más! La obra sí se acaba.
Ay, con más versos se alzaría obesa.
Mi corazón murmura: cesa, cesa.
La pluma será así más firme y brava.

Como a todos a mí también me digo:
Límite necesario nos defina.
Es atroz que el minero muera en mina.
Acompáñeme luz que abarque trigo.

Este sol inflexible de meseta
Nos sume en la verdad del aire puro.
Hemos llegado al fin y yo inauguro,
Triste, mi paz: la obra está completa.

Dedicatoria final

AL AMIGO DE SIEMPRE,
AL AMIGO FUTURO.

IV: Y OTROS POEMAS

EN MI MEMORIA
A MI PADRE
FUEGO
DEL QUE SOY CHISPA

ÁTOMO

(Células, retrayéndose, remotas,
Retienen todavía
Disposición de sueño.)

Poco a poco principio a recordarme.
A través de profunda consistencia
Voy sabiendo, me alumbro
Negándome a esa mina,
Oscuridad inmóvil. Gozo casi
Del «silencio infinito de los cielos»,
Que será atroz, atroz
Sin eje de conciencia,
En soledad que siento aquí espantosa.

Y mientras consiguiendo acompañarme
Doy sentido a lo oscuro,
Se inicia vagamente en la ventana
Claridad, sí, de fuera, compañía
Que sin querer me asiste,
Alumbrándome a mí,
Eslabón diminuto
De universo que envuelve,
Átomo nada más,
                    que se desdobla.

AGENTES O AGENTE

Muchos agentes —¿sólo de un Agente?—
Trasmutan la materia en otras formas
Por caminos insólitos, conducen
A los seres insignes y a los feos:
Roca, delfín, clavel, rinoceronte,
Inagotable repertorio innúmero
Movido por agentes muy dotados
—Término propio— de inventiva. Triunfa
Genial naturaleza shakespeariana.
¿Quién hizo el mundo? La Imaginación.

SOÑADOR QUE CAMINA

Se ve a lo lejos aire,
Que es una mariposa
Con alas trasparentes,
Inmensas, finas, grises.
Yo camino con botas
—No sé por qué— metálicas.
Creciente opacidad
Me obstruye. Grito. ¡Libre!
Hacia la mariposa
Corro. Se desvanece.

NOCTURNOS

(11) *

En el fondo de la noche
Suena un zumbido continuo
De metales que desfilan,
Carros, carros infinitos
Entre fricciones de espadas.
Y así, remoto destino,
La noche sigue rodando
Sin cesar ante el oído
Perplejo a la vez que cierto
De oír y soñar lo mismo.

(12)

Desde mi habitación oscura,
Atravesada por relámpagos,
Siento la tormenta y sus iras
Como un envolvente peligro
Bajo ese poder absoluto
Que nivela a cero alimaña,
Vegetal, mineral.
           Y un hombre.

---

* *(11):* siempre que se trata de una selección parcial, hemos
antepuesto el número original del poema-fragmento.

ARIADNA * EN NAXOS

I

El barco se detuvo.
«¿Nombre tiene esa isla?»
Era la voz de Ariadna.
Dijo Teseo: «Naxos.
¿Y si desembarcáramos?»
«¿En esa parte no muy atractiva,
Sin gente?»
Descendió la pareja.
Quedaron dos esclavos en la barca.
Por la orilla vagaron los esposos.
La exploración fue breve.
Cerca había una gruta.
Ariadna se sentó sobre una roca.
«Aguárdame.»
Y Teseo se fue... ¿por su camino?
Y desapareció.
¿Acaso para siempre?

Ella aguardó, cansada.

El calor
Mantenía amistad con muchas cosas.
Sonaba el mar con ritmo
De gran ondulación que acompañase,
Y cedió su vigilia a tal reposo
La mujer de Teseo:
Deleite de un cansancio que se borra.

---

* *Ariadna:* hija de Minos, dio a Teseo el hilo que le permitió
salir del laberinto después de matar al Minotauro.

Abrió los ojos. Se alarmó. ¿Teseo?
No. Se extraviaron voces.
Naxos allí sin próximo habitante,
Vegetación escasa hacia una playa,
Primordial desnudez.
Teseo ¿dónde está? ¿Se esconde acaso?

Ariadna
Se rindió a la evidencia:
Un total abandono…
Con invasión de miedo,
Miedo del mundo, miedo del amado.
El mar,
La desierta ribera,
El cielo como techo ¿qué le valen?
Su desesperación
Se agarra al clavo ardiente.
Ya no está sola. Su dolor, Teseo,
Convive con la entraña,
Con la memoria que se le revuelve
Sin recuerdos concretos.
Un vacío se extiende haciendo daño.
¿Posible aquella ausencia,
Tal oquedad? A nada corresponde:
Enigmas
Que aquella angustia oscura no soporta.
Ensimismada Ariadna
Sobre un peñasco se hunde en el vacío.

¿Cuánto tiempo inconsciente va pasando?
El sol es ya de tarde
Con rayos que se afrontan cara a cara.
Aquel rumor marino
Diseña una cadencia más serena.
Ariadna ve su desventura dentro,
Dentro de sí remota,
Un horror fabuloso.

Traición. ¿Y de aquel hombre
Con quien gozó de amor y de una hazaña?

Teseo, laberinto, Minotauro.
Horas felices en aquella Creta
Del palacio real.
Teseo, Fedra, Minos, Pasifae...
Esa mujer tendida
Reduce
Su gran memoria al héroe,
Siempre deslumbrador.

II

Se oscurece la pena,
Sólo se ve maldad.

¿Aquellas horas íntimas
De tan profundo enlace
No implican permanencia
Dentro de aquel vivir aún tan firme?
¿Todo se pierde en desvanecimiento,
Polvo al fin sin vestigios?
Reminiscencias muy confusamente
Retornan
A la tan dolorida.
No gime Ariadna. Se concentra, muda,
En un desgarramiento:
Condenación sin juicio.
Ay, se padece y basta.
¿Aquel Teseo es héroe?

Mira Ariadna hacia el mar:
Implacable su azul.
Y más despacio escruta el horizonte.
Es pavorosa, bajo tanto cielo,
La soledad sin mínima esperanza
De salvación. ¿No existe más que Naxos,
Olvidado, perdido?
Y la creciente angustia
Redobla en la garganta sus ahogos.
Una hija de rey

Se dispone a la muerte.
Abandono ya es hambre.

¿Era homicida el plan de aquel Teseo,
Tan monstruoso como el Minotauro?
Ariadna va a morir.
Todo se vuelve incierto. ¿Sin mudanza?
Entre las sombras grises
Y el gris del oleaje
Se derrama neblina, luego lluvia
Ligera.
El tiempo hacia el futuro
Se desliza por ruta sin presagio.
¿Flotante
Por esa blanda atmósfera
Se encontrará algún dios
Con sus rayos rectores?
¿Habrá ya algún destino
Que penda sobre Ariadna, sobre Naxos?
La en absoluta sola
Columbra anulación.
¿Anulación? Quién sabe.
Un azar —¿por qué no?—
Puede irrumpir en el minuto mismo
—¡Luz!— de algún cruzamiento,
Fasto o nefasto azar,
Resurrección, trasformación, sorpresa
Creadora, quién sabe.

Ariadna, tan exhausta,
Todavía subsiste.
El tiempo agonizante es inconsciencia,
Pesadilla indolora.
Tal mutismo recubre el desamparo
Que exige ya mudanza,
Algún novel rumor.

III

Entonces...
Es una historia antigua. La sabemos.

Ariadna agonizante
No puede oír ni ver ese oleaje,
Ahora tan hermoso.
¡Un barco!
Y desembarcarán
Personajes de Grecia.
Sociedad acompaña
—Vedle, central— a un dios:
Tan próximos los dioses y los hombres.

Dionisos no desciende todavía.
Va a pisar tierra pronto.
Tropezará el cortejo
Con aquella mujer ya moribunda.
Que su pulso recobra,
Su ritmo esperanzado.
Dionisos
Ve en Ariadna, ya erguida,
Princesa de infortunio.

Le atrae su hermosura.
Dionisos es jovial y su alegría
Va a envolver a la dama,
Retráctil,
Todavía doliente.
Sobre el dolor Dionisos es divino.

Trascurre tiempo. ¿Cuánto?
Ariadna ascenderá
Fatalmente al amor.
Probable otra existencia.

¿Todo es igual? No, todo es diferente.
El amor siempre alumbra algún paisaje,

Y su idioma y su aroma, primavera
Ya a orillas del más íntimo verano,
Penumbra en la reserva más recóndita
De los amantes, siempre lejanísimos.
La hora es tan profunda que se esconde,
Desnudez para dos, secreto gozo,
Sin saber ya de fechas, tan ajenas:
Por fin enamorados más, más libres
Dependiendo.
       (Soledad, soledad,
¿A sí se satisface? Pobre, tosca,
Ilusa.)
      La ilusión embelesada,
Se hunde en realidad muy sucesiva,
Explora y ya descubre, se sorprende,
Más se deleita dentro de su reino,
Fugaz. ¿Fugaz? Que la esperanza invente
Su verdad perecedera.
              Prodigio
Del instante que, más allá del tiempo,
Tiende a existir en una altura o pausa
Y sin visibles límites suspensa:
Casi una perfección, una armonía
Culminante, relámpago con fondo
De universo.
      La Tierra, por fortuna,
Aguarda, sí, con sus contradicciones.
Es menester el claroscuro. ¡Varias
Las horas! Que varíen. Aventura
Sin cesar. Más difícil si se arrojan
Sus arrestos por vías cotidianas
Y se impone el amor a los contrastes
Penosos, humanísimos.
      La Tierra,
Sólo la Tierra sin edenes falsos,
Sólo una tentativa hacia el glorioso
Vivir de dos en uno que son dos:
Hombre y mujer dichosamente opuestos
Encarnando unidad. Y que se cumpla

Su terrenal destino: la pareja
Frente al mañana siempre, siempre incógnito.

Ariadna:
Dionisos va a llegar.

DE SENECTUTE

(1)

Sale el sol otra vez para el anciano.
¿Cuántas veces aún? Inútil cómputo
De condenado a muerte. La luz sea
Sin predicción precisa de adivino:
Vital incertidumbre. Sale el sol.

(2)

...Y tras de un largo sueño florecía
Con una hermosa plenitud de mozo.
¡Buen despertar! No vano su alborozo.
A un alma iluminaba la alegría.

(3)

El pensamiento evita las concretas
Figuraciones de la sepultura.
La muerte es un proceso desastroso
Que sin horror no puede imaginarse.
¿Y para qué las danzas de esqueletos
Si la mera abstracción es suficiente?

¿Es triste envejecer? «De senectute»,
Circunloquios, argucias y floreos
Se desviven negando la evidencia:
Esta limitación que, silenciosa,
Nos reduce su círculo y se impone
Como el menos cruel de los finales,
Esta conciencia del final... Los días,
Oscuros o radiantes, nos sitúan
Como un espectador, actor a veces,
Junto a los ríos que nos enamoran.

Viejo, viejo, viejo.
Alegres los ojos,
Ávido el deseo.

Viejo, viejo, viejo.
Ligeras las barbas
Y sabios los huesos.

Viejo, viejo, viejo.
Parlanchín aún
Cerca del silencio,

Final.

Corre el tiempo más que antes.
Años, años, vagos datos.
Parecen extravagantes
Nuestros antiguos retratos.

(9)

Mis límites estrechan mi camino,
Me privan de contactos, de placeres.
Por experiencia sé, no lo adivino,
Lo que tú, realidad sin vallas, eres.
Tú de hoy. Yo de ayer. Amargo sino.

(10)

Las horas del amor habrán pasado...
Mientras, ay, la vejez mantiene en medio
De círculos estrictos a quien sigue
Fiel a su juventud, jamás extinta
Dentro de esa prisión que le circunda,
Ajena al yo central más entrañable.

(11)

...Y me siento envejecer
Entre esas gentes lejanas
Que apenas tienen ayer.

(17)

Me entra un sueño tan violento
Que me convierto en ese intento
De ser con placer una piedra,
Piedra compacta de reposo.
Es algo, no es alguien. ¡Qué hermoso!

(18)

Abrumador sería
Recorrer todo un siglo muy completo

Desde el germen del feto
A la tan esperada puntería.

Peripecia más seria:
No ser un espectáculo de feria.

(19)

La edad me pesa en el silencio unánime
De la noche tranquila, grande, sola.
Accidente no hay que me distraiga
De ese mar que tendiendo va su ola.

(20)

Como un buen aventurero,
Cuando muera
Quiero saber que me muero.

Quiero conocer la historia
Verdadera:
Un instante en la memoria.

(21)

No hay tragedia ante el crédulo esforzado
Que no cree en la muerte. Dios le salva.
No hay tragedia ante quien sin ilusiones
Se resigna a la ley de los vivientes.

(22)

¿Quién habla de lentitud
En los días, en la historia?
Todo va precipitándose,
Cayendo sobre una bola
Hacia la movilidad
Final del muerto en su fosa.

(23)

A lo largo del tiempo,
La sensación se acrece
De rápida comedia
Frente a quien la comparte,
Fugitivo, benévolo.

(24)

Vejez.
        Y recordó con su memoria,
Fiel a una esencia que era ya fragancia,
Las horas —muchas, muchas— tan felices
De trabajo, de amor. Y conmovido,
Sintió: ¡qué importa el resto!

                    —No. Me importa.

(25)

Y mientras sigan átomos danzando
            Quedará un Sí triunfante,
Más fuerte que los nones de ese bando
            Perdido a cada instante.

VERBO

Son magos y lo saben, y no aceptan
Ese nombre antiquísimo. No lucen
Trajes resplandecientes. A menudo
Se disfrazan de simples criaturas.
Míralos bien, entiéndelos. Son magos.
Así, profesionales misteriosos,
Trasforman la materia en dios concreto,
El inmortal destino del viviente
Con fórmulas orientan de conjuros
Que ellos pronuncian.
                    ¿Magos? Magos. ¡Magos!

FE Y CAFÉ

Un café nunca está lejos
JUAN LARREA, «Diente por diente»

El tiempo, corto.
Diminuto el espacio conocido.
Todo precario en peligroso borde.
Lo sabemos. ¿Y qué?

Nuestro apego fatal a tanta vida
Nos mantiene adheridos
A ese espacio y su tiempo,
A esta comunidad
Posible de planeta
—A veces tan infame—
En que a pesar de todo,

Faz a faz, conseguimos vivir juntos.
Mira esa flor que vuelve
Con su fuerza amarilla.
Padre o padrastro el sol.

¿Adónde van las horas
Por esa luz profunda?
Escucho voz de sabio:
Algún café jamás está muy lejos.
Un café con amigo.

                              ¡Tierra!

NATURALEZA COMO FÁBULA

                              (Dionea muscipula
                              Carolina del Norte)

¿Planta que trasciende sus límites?
La realidad es prodigiosa.
Inmóvil queda si algo leve
—Hormiga quizás o una gota
De lluvia— nada más se halla
Sobre alguna de aquellas hojas.
Esta vez, por fin, aparece
Presa, ideal. ¡Una mosca!
La planta mueve sus tentáculos
Y como una cárcel se forma
Donde el animal se disuelve,
Digerido por la captora:
¿Imaginación acechante?
Un instinto —de pura lógica—
Opera con ferocidad
Humanamente rigurosa,
Móvil de una acción al servicio
De unos fines. ¿Hay ya persona?
Hay suceso que es un sistema,

380

Una fábula que es historia,
Historia así, tan natural:
El universo con su incógnita.

IMPULSO HACIA FORMA

A José Luis Plaza

ARNO FURIOSO

(1966)

Sobre la ciudad el río
Se ha volcado con la furia
Del Absurdo. Albedrío
De nadie, que bien injuria.

    A corrupción corre todo,
    Agua invasora da barro,
    El barro llega a ser lodo,
    Al fin basura de carro.

¿Es primitivo candor
De aquella Naturaleza
Genesíaca? ¿Albor
Nuevo? ¿A crear se empieza?

Mugre más podre, fracaso
De residuos, una broza
De violencias al paso
Del azar. Monstruo, destroza.

    Imperativa Natura
    Sigue su curso y no sabe
    Más que seguir. Así dura:
    Cumple ley, ignora clave.

PUNTO DE APOYO

I

Estos follajes de verano espeso
Guardan entre sus ramas
Brillos de luz —también con rumbo al tacto—
Que propone y reserva una materia.
Algo no revelado permanece,
Misterio natural,
En la demostración inextinguible
De la cosa inmediata.
Se concentra la tarde entre sus olmos,
Muy vivo el claroscuro
Que a mi atención suspende, ya más íntima,
De un silencio —ya pausa
De la hora y de un hombre,
Sensible a relación
Con la densa presencia.

II

El minuto presente
Sin cesar se desliza
Recorriendo el reloj con propia aguja,
Aunque yo sienta el paso de la tarde
Como tiempo moroso, casi inmóvil.
Implícito el pasado, nunca deja
Sin memoria al instante,
Que remueve y trasciende su cabida,
Y sin rumor avanza,
Recto hacia una inminencia,
Puntual preparación
De un suceder siguiente,

En seguida embebido en esa hondura
De cuanto yo poseo con mis ojos:
Cuando ven, ya imaginan.

III

Y mientras la presencia me repite
Su especie de horizonte,
Yo miro proyectando
Por una inclinación
Latente y necesaria,
Que jamás me abandona en una isla,
Irreal prisionero.
Los olmos favorecen
Murmullos sin resquicios
De vacante ruptura.
Todo se apoya en orbe
De conciencia y materia,
Activa aparición incoercible,
Un punto, sólo un punto,
Móvil, cambiante, siempre fugitivo.

CATEDRAL

Hermosa catedral
           con su Edad Media,
Con su firme silencio ante los siglos,
Con su rigor de piedra y de palabra,
Que sin cesar resisten atenciones
De atento y de remoto...

Todas las catedrales son hermosas
Y se afirman perennes:
Afirmaciones del ingenio humano
Y de un dios creador.

Se elevan a través del claroscuro,
Por entre las vidrieras de colores,
Una esperanza convertida en fe,
Un anhelo que borra toda duda.

Estas aún maravillosas obras
Materiales, mentales
¿No merecen un Dios que las corone,
Y en verdad les confiera
Plenitud efectiva?

Pendientes sobre torres y columnas
Sobre tanto fervor, un Dios al menos
Idea en nuestro espíritu.

LOS FUNDAMENTOS

I

Algo hiriente, muy rápido.
Sólo duró segundos:
Un movimiento. ¡Sísmico!
La memoria rehace
Relámpago de angustia
Con un pavor que aumenta.
Pende aún la amenaza.

II

Si las bases tal vez...
Hay vértigo de crisis
Física y más allá.

III

La amenaza pasó.
Fue muy grave su mole.
Y un ritmo sosegado,
Normal, casi vulgar
Se reanuda en silencio.
Nadie, nadie percibe
La armonía envolvente.

ANTERIOR AL PALEOLÍTICO

La máquina de amar es perfectísima.
Tanteos incesantes de milenios
Han conseguido al fin este prodigio,
Que al mercado se ofrece sin anuncios.
Todos lo buscan, siempre por parejas,
Hombre y mujer. La máquina funciona
Sólo así, por contraste de contrarios,
Eludiendo cualquier monotonía
De torpes, de ignorantes, de infelices.

Amaos, completaos, oponeos.

ESENCIAL Y CONTINGENTE

La anécdota, sabrosa,
Siempre significante,
Nos sitúa delante
De un hombre con su prosa

Diaria, contingente.
En realidad ¿qué siente?

Vida superficial. Encuentro en una casa.
Amable novelista.
Vida esencial: su obra. Odio frío a la vista.
Soledad lo traspasa.

HACIA LA POESÍA

A Marcel Bataillon

(1)

Iba por un camino.
Sin voluntario influjo
De pronto sobrevino
—No lo buscó el poeta—
Y casual se produjo
La gracia de un hallazgo.
Inspiración, inquieta.

Je ne cherche pas. Je trouve.

«Yo no busco, yo encuentro.»
Algo surge por don
De un cielo ajeno dentro
De mí: la inspiración.

(2)

Supere a nuestro mundo en caos
El orden de nuestra palabra
Firme para que se nos abra
La hora a más luz. Expresaos.

(3)

Inspiración. Hallo cosas
Que no buscaba mi pluma.
Están ante mi conciencia
Que las ve. Todo se suma.

¿Hay segunda inspiración?
El hallazgo considero
Con la vista de mis ojos:
Es certero o no certero.

Inspiración, intuición,
Algo elemental, instinto,
Con sol, con luna o con lámpara
Misterio jamás extinto.

(5)

«Amapolas como...» No.
Jamás ni «sangre» ni «fuego».
Rojos pétalos silvestres,
Indecibles. ¿No son únicos?
El nombre a la flor señala.
Esas amapolas, ésas:
Amapolas, amapolas.

(6)

No juego con las cosas, ya abstracciones.
Sólo desearía, de los seres
En cuya realidad muy firme creo,
Extraer su virtud, matiz, esencia,
Con amor y con fe decir la vida
Que está allá, frente a mí, que es conquistable.
Sensación, no ilusión, objeto, verbo.

387

(7)

Al amigo de siempre,
Juegos de imaginación,
Juegos con ciertas palabras.
Nadie se evade. También
Bajo cabriolas de cabras
Hay tierra, gravitación.

(8)

Se desbandan las palabras,
Chocan, chirrían, pretenden
Absoluta incongruencia.
¿Absurdo?
Allá, por el universo,
Todo está relacionado.
Queda un último sentido.

(9)

¿Escribiré por sílabas contadas?
¿Contaré en estos versos once siempre?
Es la andadura quien me lleva a gusto
Del compás y la mente emparejados
Por esta acción del pensamiento rítmico
Tan natural a este nivel de verso,
Ya casi canto en que el vivir encarna.

(10)

El ritmo, dices, basta en el comienzo
Como germen de incógnito poema.
¿Ritmo vacío existe?
El ritmo significa
También: inseparable criatura.

388

(11)

Si me expreso con la rima,
Obra es también del lenguaje,
Autor. Su fuerza me anima:
Pone más de lo que traje.

(14)

Mal escrito. Falta vida.
Las abstracciones no ocultan
Su propósito homicida.

(18)

En el silencio es pura la palabra
Sobre él se apoya como firme base.
Mental, esa palabra me edifica
Sólo a mí.

TALLER

I

Por un negro agujero el universo
Desaparecerá, prevén los sabios.
¿No es eso lo que ocurre a cada uno?
Por el negro agujero de mi muerte
Se acabará en silencio mi universo.

389

II

«Al cabo de millones y millones
De centurias se habrá extinguido todo.»
No en la imaginación
Del pobre ser viviente,
Incapaz de asumir durante el lapso
De un minuto la nada catastrófica.

III

Volvamos a soñar con los orígenes,
El dios, el ser, el átomo, la fuerza
Más allá siempre de la absurda nada,
Creación, creación en obras, obras
Por donde van pasando los fugaces.

CREADOR Y CREACIÓN

El germen de oro aparece.
«Rig-Veda», 7, 7, II

A Raimundo Panikkar

No hay nada ni siquiera la gran Nada.
No hay tiempo, no hay espacio,
Contradicción genial:
El no ser, tan sumido en su vacío,
Murmuró: «Que yo sea.»
Y Prajapati fue, completo el Uno,
Sin ninguna conciencia.
Soledad absoluta.
Por fin... «¡Yo soy!»

¿Soledad? Aislamiento.
El Uno en compañía de sí mismo
Sufre, muy solo, teme.
¿A quién si todavía
No hay nada alrededor?
Se levanta el Deseo.
Algo más, sí, se exige.
¡Creación! Inminente.
Habrá de repartirse Prajapati.
Él es su propia mina.
Entonces... Sacrificio.

Todo está siendo junto:
El sacrificador, el sacrificio,
El tan sacrificado.
No había más que un solo Prajapati.
¡Ya no!
Las criaturas nacen
Resolviéndose en caos.
Temiendo están a quien les dio su ser.
Entre ellas luchan. Confusión. Hay mundo.
Y la segunda etapa da principio.

Hacia sus criaturas vuelve el Padre,
Su creación aún,
Y persigue a su hija,
Dyasus, bella Aurora.
Van a ser engendrados otros seres:
Incesto,
Incesto por amor que es salvación.
La criatura torna a Prajapati,
Salvada por su dios.
Todo será divino.
El incesto redime.
Sólo a Dios corresponde
Como prerrogativa
Que repetir no puede ningún hombre.
El creador se parte, crea mundo,
Ama a sus criaturas,
A la divinidad unidas —y divinas,

Buenas así, salvadas de su caos
Por Prajapati, Padre.
No hay mundo sin amor.

SUCESOS DE JARDÍN

No es bueno que el hombre esté solo
«Génesis», 2, 18

El Uno frente al uno. Dios y el hombre
Se yerguen entre orígenes y auroras.
Lo divino y lo humano ya insinúan
La primera pareja en el ya hermoso
Jardín. ¿No falta nada? Dios lo sabe.

Por el jardín, radicalmente solo,
A este Adán errabundo le acompaña,
Invisible a su vista, Quien más es.
Sufre mucho el varón, nacido huérfano.
Ni atravesó niñez. Mayor de un golpe.

Sin humana ascendencia muy desnudo,
Ve todavía mal su paraíso.
¿Qué paraíso habrá si no hay palabras
—Es tosco aún, se expresa con sus gestos—
Que lo toquen, lo apresen, lo domeñen?

Adán sin compañía vaga, mudo.
Desdoblarse no puede en soliloquio.
Imposible un idioma: nadie escucha.
Lo habría si dijera frente a frente,
Capital monosílabo, tú, tú...

Ese primer Adán —inconcebible—
Sin ayer, sin apenas hoy presente,
Ni respira futuro en aquel aire.
¿«Impasse», «dead end», calleja sin salida?
El Uno creó al uno divisible.

Dormía Adán, la carne como tierra.
Fértil Edén. Adán será fecundo.
¿Qué es un hombre anterior al otro sexo?
Lo ignora todo quien no abraza nunca.
Es siempre Dios el creador amante.

Y la mujer nació de aquella entraña
Materna de varón. Y Dios, el padre,
Al hombre despertó, dichoso y puro.
«Eva es sólo tu esposa, no tu hija.
Tú, sólo padre de tus hijos, ámala.»

Hijo es Adán de Dios y de la Tierra.
¡Tierra! De la mujer no fue simiente.
Mujer: así producto de producto,
Ay, la derivación de una costilla.
Quede claro el lugar, ya subalterno.

Será fatal que la primer pareja
Se conjugue, principio de una estirpe.
Eva es hija de Adán, esposo, padre
De Caín y de Abel, sin fin la prole.
Es el sublime incesto originario.

AL MARGEN DE BOCCACCIO

«Il Decamerone», III, 10

I

Se irguió feliz deseo ante su vista.
Ella dijo: «¿Quién es?» —El propio diablo.
—¿Y cómo se conjura tal peligro?
—Poniendo en el infierno a este Luzbel.
—¿Qué infierno? —Tú, tú misma. Se juntaron.
Si diabólico él, ella inocente,
Pero infernal. ¡Oh cruce salvador:
Ese diablo a ese infierno! Libres, puros,
El hombre y la mujer así triunfantes,
Cada vez —*vade retro*— se salvaban.

II

HOMENAJE

Se insinúa la dama.
Toda, por fin, se ofrece, se proclama.
El forzado galán, lector de Ovidio,
A su modo cortés, no se desviste.
¡Infeliz avecilla sin alpiste!
Amenaza la dama con suicidio.
Cede el galán... y amor no se consuma.
Puro es Eros. En suma:
Sin luz de inspiración —es ejemplar suceso—
No hay poeta, no hay voz con justo peso.

MINUCIAS

«Conócete a ti mismo»

«Conócete a ti mismo.» ¿Quién soy yo?
Amante hacia la amada, padre hacia criatura,
Poeta hacia poema, amigo hacia el amigo.
¿Quién soy yo? No lo sé. No soy mi asunto.
Conocerse a sí mismo…
¿Y quién será ese «mismo» tan abstracto?
Sólo atiendo a la meta.

«He compuesto mi obra de tal modo
Que olvido y negación serán injustos»,
Pensó un autor sin fama de beodo.
«Temo que la barbarie más solemne
Cubra las evidencias bajo lodo.»

¿Un gran autor antiguo no es mi contemporáneo?
Nos une profunda corriente.
Pese al pasado muerto donde él quedó, remoto,
Me embarga ambigüedad potente.

NOCHE DE HISTORIA

«Quijote», I, 34

En el silencio de la noche cuando
Ocupa el dulce sueño a los mortales,
Me he despertado y el insomnio sigue,
Se me prolonga infuso a la tiniebla
Que anida al gran silencio y me procura

La sensación de inmensidad en torno,
Donde yo estoy flotando diminuto
Pero tranquilo ahora sobre un lecho
Que es un arca modesta de Noé.
Arca, tan interior a lo selvático,
Permanece en la Historia, ya envolvente,
Ya inmensidad de este silencio oscuro.

«REPETIDO LATIR...»

¿Dónde yo oí ladrar a lo lejos, de noche?
¿En soledad silvestre, en arena de duna?
O tal vez lo he soñado aunque la voz sonara
Distinta repitiéndose como nocturno aullido.
Aullido que es gemido, amenaza que es súplica
Presa en una vastísima desolación sin lindes.
Esa noche revive cada vez que mi suerte
Me conduce a la atmósfera de unas palabras mágicas.
Bajo esa magia siento sin ilusión equívoca
La experiencia real de ese mundo ficticio.

Heiliger Schlaf!
NOVALIS, «Hymnen an die Nacht», 2

Divinidad que preside el sueño:
    No soy mi dueño.
Vivo a merced de tu mano divina.
    Pero soy mina.
Fondo que va del olvido al recuerdo,
    Apenas cuerdo.
Tenme entregado a la tierra y la fe.
    Mejor seré.
He de dormir confiando en lo oscuro.
    Así perduro.

BLAS DE OTERO

Ama la tierra de sus padres,
Ama y defiende al desvalido.
Rehúsa el desorden que encubre
Todo el abuso establecido.

HOMENAJE A RIMBAUD

«L'Alchimie du verbe»

Un hombre
Con furia adolescente
—¿Angélico? Ya es tarde. Ni diabólico—
Se adivina y dice:
«Es sagrado el desorden de mi espíritu.»

Se pudo trascender ese desorden
Y se llegó a la meta:
Je fini par trouver sacré...
¡Qué audacia,
Qué insolencia genial, qué disparate!

AL MARGEN DE VALÉRY

I

Le génie et l'ingénu

Vivir es menester. Desenlace cansado
    Para el gran intelecto.
Yo fui, pobre inocente, a la vida lanzado:
    Como arranque, perfecto.

II

«Clef» fue la primera palabra
Que aprendió aquel niño. Después
Buscó lo que de veras es.
—No hay llave que a los mundos abra.

III

Pour l'inquiet Narcisse, il n'est ici qu'ennui!
«Fragment du Narcisse», 1

Entre el yo puro, tan soñado,
Y el yo más impuro, secreto,
Narciso queda bajo el hado,
A tedio-desierto sujeto.

IV

«¿Qué prefiere: los árboles, las flores?»
    Me preguntó el poeta.
Los árboles, tan sobrios, sin primores.
    El viento los completa.

V

las secretas aventuras del orden
BORGES, «Valéry como símbolo»

Rigor es más amor: ahínco y serio.
De secreta aventura goza el orden.
Entre límites guarda su misterio.

Hacia los componentes ya previstos
Una raíz, algún azar el duende
Irrumpen, se interponen,
Deslizan una nota
—Apenas murmurada—
Que sorprende a quien vive su aventura
Por sendero habitual y ya novísimo.

Novedad sin trompeta no se advierte.
El escándalo, nunca: grosería.
Creación: algo nuevo que no había.
Con su forma resiste ya a la muerte.

VI

LE MOI ADORABLE

(ANTI-PASCAL)

Era un terrible incrédulo.
No creía absolutamente en nada,
Salvo en su propio Yo,
Y en formas construidas
Por la mano del hombre.

Filosofaba ya en la madrugada,
Bien despierto a la luz del intelecto.
Sus negaciones adquirían fuerza
De inconmovible pesadumbre: dogmas,
Propios dogmas de incrédulo infalible.

Creía en la escritura,
En sus palabras de la madrugada,
Frente a frente del Ídolo:
Su soledad, su dios, su Yo, Yo, Yo.

CURSO DE IMÁGENES

El poeta, esta vez se llama José Infante, discurre y siente
por imágenes, unas tras otras, a lo largo de una sucesión quizá sin fin: voz que habla deslizándose por un
curso rico de visiones. ¡Cosas! Y las mira. Son concretas y acuden a los ojos. Verán más de lo que aparece.
Nos repetirá: «mira». Se lo pide a sí propio y al lector
porque todas las riquezas han de venir a una red de
atención firmemente ocular.
No importa que de pronto no se quiera «mirar demasiado». A lo entonces visible atiende el oído y se aclara
así una materia hermética.
No asoma la idea explícita. Entre los objetos existen
afinidades y oposiciones que corresponden a una razón
no argumentada, a raíces.
Ese mundo arroja luz, penumbra, tiniebla, conduce sus
iras y consuelos, estalla: erupciones que destruyen y dan
paso a creación. Son las imágenes que el poeta —José
Infante— recoge con su mirada y trasforma con su imaginación y su pasión en poesía, amorosa fatalmente.

AL MARGEN DE «AIRE NUESTRO»

AIRE NUESTRO

(1)

Aire que yo respiro ya es un soplo:
Inspiración, espiración, el alma,
Psique, si no deidad alado genio,
Trasparencia en la luz del aire-espíritu.
Aire y luz me proponen, me regalan
Vida difícil en difícil mundo.
Yo acepto, sí. Respiro con vosotros.

(2)

El amor, la amistad, la admiración
Son círculos concéntricos.
                              Persisten
Durante un gran fenómeno: la estancia
Sobre un astro
                   Merece una visita.

(3)

«Cántico» pero «Clamor».
Y sin embargo, «Homenaje».
En uno tres. Y el lector.

CÁNTICO

(4)

«MÁS ALLÁ»

Más allá. ¿Dónde? Donde tú concluyes
Y principia ese mundo que te ciñe
Por todas partes. En el aire cosas
Que la luz te descubre y son las metas
De tu poder. ¿Te angustia el mundo? Mira.
Ese mundo es amigo necesario.
¿Misterioso, versátil? Sí, difícil.
Rechaza el miedo y ríndete al asombro
Si te das cuenta bien de tu aventura,
Formidable.

(15)

«LOS AIRES»

Aquellas damas altas y calandrias
Se juntan en visión de trasparencia,
De claridad, de altura con frescura
De mañana a través de un aire terso,
Bien acordes los seres a sus límites,
Límites en el aire jubiloso,
Protagonista. Damas, ah, calandrias,
Ágiles impulsoras, mensajeras
De una profundidad.

                        Y no aparece
El aéreo hueco luminoso
Que por sí mismo no se muestra, puro
Trasmisor.

Aires claros, casi nadas,
Más adentro vibrantes con espíritu
Revelado a la vista, si amorosa
Frente a la ingenua afirmación del mundo,
Ímpetu esbelto ya hacia su mañana,
Erguida la mujer, volante el pájaro,
Fábulas de ese cielo creador,
Primavera entre luces que son aires,
Presente el alma de esas nadas: todo.

(24)

«A NIVEL»

¿Y por qué la adhesión
A realidad presente?
Por impensado arranque
Por empuje de instinto
Que tiende a equilibrar
En forma necesaria,
Positiva, serena
Lo que doy y lo dado,
Cosas, gentes y yo,
Si puedo, si domino.

HOMENAJE

(34)

TOULET *

> *L'immortelle et l'oeillet de mer*
> *Qui pousse dans le sable,*
> *La pervenche trop périssable*

En aquella contrarrima
        De Toulet,
El lector mío no ve,
        Cuando arrima

Quizá atención a mi texto,
        Cierta flor
Ni su nombre de candor
        Manifiesto.

«Pervenche» es «hierba doncella».
        Poco dura
Con su azul, con su hermosura
        Porque es bella.

¿Y cómo no recordar
        Tras la flor
Aquel ocio, nuestro amor,
        Bosque y mar?

---

* *Toulet:* Paul Jean Toulet (1867-1920), autor de *Les Contre-rimes* (1921), libro que contiene 12 *dixains;* descrito por uno de sus biógrafos como «moralista de pura cepa, un prodigioso *dandy* literario, un autor de máximas lapidarias, un gramático tan sabio como alambicado».

«El agnóstico»

La fe de aquella infancia tan lejana
Quedó allá, bien sepulta bajo el tiempo.
¿Qué fue de aquellos mitos con sus ritos?
¿Pereció todo? No.
                            Profundamente
Subsisten vivacísimas palabras
Donde laten perennes sentimientos.
El amor y la paz, hermanos todos,
La piedad, la humildad.
                            ¿Somos hermanos?
Gran paradoja siempre extraordinaria.

«Obra completa»

I

Tanto verso, tanta copla
Van formando un solo río
Gracias a musa que sopla,
Se impone y rige: «Yo guío»:
«¿Musa torrencial?» No tanto.
Tampoco «peste de Otranto»,
Pesadilla del magín.
La palabra rigurosa,
Tronco a tronco, rosa a rosa,
Crea el preciso jardín.

II

(37)

¡Inagotable vida! No hay «summa» que la encierre.
No concluye el poeta de reunir palabras
Jamás sobre el papel ávido con sus blancos.
Obra acabada nunca si no se detuviese,
—Fuerza mayor— la mano que traza aún más signos.

EPIGRAMAS

¿«Libertad» es idea envejecida?
Eso dicen esclavos y tiranos.
Libertad es un aire que respiro
Si no me ahogo entre discursos vanos.

Hombre era de pro.
Dios le dijo: vente.
Se perdió en los cielos.
Desapareció
Misteriosamente
Como los pañuelos.

Los cobardes murmullos informes de la voz
Son elegancia siempre de los tímidos,
Sensibles.
La caridad es tosca. La energía, grosera,
Y los netos contornos... Bruma, bruma.

DESPEDIDAS

(Variaciones)

WALT WHITMAN

En la playa, de noche, solo

«On the beach, at night, alone»
de «Sea — Drifts»

En la playa, de noche solo.

Mientras la noche antigua se mueve de aquí
para allá cantando, ronco, su canto.

Mientras oteo las estrellas lucientes —que relucen—
y me pongo a pensar en la clave del universo,
en el porvenir,

Una vasta similitud lo entrelaza todo.

Todas las esferas, acabadas, inacabadas,
Diminutas, grandes, soles, lunas, planetas.

Todas las distancias, aunque vastas, en el espacio,

Todas las distancias en el tiempo, todas las formas
inanimadas,

Todas las almas, todos los cuerpos vivos
Por diferentes que fueran o en diferentes mundos.

Todos los procesos, gaseosos, acuáticos, vegetales,
minerales, los peces, los brutos.

Todas las naciones, coloraciones, barbaries,
civilizaciones, lenguas.

Todas las identidades que han existido
o puedan existir en este Globo o en otros Globos,

Todas las vidas o todas las muertes,
todas las del pasado, el presente y el futuro,

Esta vasta similitud las abarca a todas
y siempre las ha abarcado.

Y las abarcará para siempre y las mantendrá
compactas y encerradas.

VERSIÓN DE UN NOMBRE PROPIO

A Way-lim Yip

«Jorge Guillén», en chino, letra a letra,
Equivale —me dice Way-lim Yip—
A «un vasto mar que vuelve hacia la costa».

Vasto mar, vasto mar, imagen de infinito,
Sin sospecha de límites,
Océano que desde su oleaje
—Movimiento en presencia de sí propio—
No sabe de la tierra,
Mar en ondulación de rebeldía
Que no concluye nunca.

¡No, no! Mar de la tierra planetaria,
Retorno hacia la costa,
Hasta justas orillas,
Mar así no inhumano,
Mar preciso entre límites,
Vasto mar incesante hacia su forma,
«Jorge Guillén», un mar, un mar de China.

REVIVISCENCIAS

A Ricardo Gullón

¿Verdad que es divertido nacer español?
Galdós, «Las tormentas del 48», XII

(2)

Hacia las siete nací,
Una mañana de enero.
Todo sin voz me decía:
«Mundo tienes para ti».
Es mundo lo que aún quiero.

(5)

Esta es mi casa natal.
En esta calle jugué.
Nuestra vida hasta el final
Brota de infancia y de fe.

(11)

Valladolid. En la Estación del Norte
Mis ojos aún de niño contemplaban
Los potentes vagones de unos trenes,
Y releía el rótulo magnífico:
¡Los «Grands Express Européens»! Mis ojos
Se me iban en pos de aquella fuerza
Que me conduciría, sueño firme.
—Éramos europeos— a una Europa
Muy real, muy soñada: vocación.

(22)

Unos amigos

(Diciembre de 1927)

¿Aquel momento ya es una leyenda?

Leyenda que recoge firme núcleo.
Así no se evapora, legendario
Con sus claras jornadas de esperanza,
Esperanza en acción y muy jovial,
Sin postura de escuela o teoría,
Sin presunción de juventud que irrumpe,
Redentora entre añicos,
Visible el entusiasmo
Diluido en la luz, en el ambiente
De fervor y amistad.

Un recuerdo de viaje
Queda en nuestras memorias.
Nos fuimos a Sevilla.

¿Quienes? Unos amigos
Por contactos casuales,
Un buen azar que resultó destino:
Relaciones felices
Entre quienes, aun mozos,
Se descubrieron gustos, preferencias
En su raíz comunes.
                                    ¡Poesía!

Y nos fuimos al Sur.
Quedó en Madrid Salinas el Humano.
Y también Aleixandre
—Con soledad tan fuerte de poeta.
Y en Málaga otros dos, inolvidables.

Sevilla.
Y surgió Luis Cernuda junto al Betis.
(Plaza del Salvador.
En voz baja me dice:
Me gusta aquella imagen.
«Bien, radiador, ruiseñor del invierno.»)
Alberti, Rafael. Un torerillo
Que fuese gran espada.
Intensamente Dámaso cordial,
Y su talento se prodiga a chorros.
Bergamín el Sutil,
Dueño en su laberinto. Sobra Ariadna.
Gerardo Diego en serio
Se lanza de repente a una cabriola.
Es un ¡Hola! a su Lola *.
Chabás —«con una voz como una barba»—
Sonríe siempre desde su Levante.
Y Federico.
Ah, los hospitalarios sevillanos.
Allí Joaquín Romero a la cabeza,
Gran alcaide futuro de su Alcázar.

Compañía, risueña compañía.
Vivir es necesario,
Envidiar —¿para qué?— no es necesario.
Se produce un acorde
Que sin atar enlaza.
Cada voz, va distinta,
No se confunde nunca
—¿Verdad, gran don Antonio?— con los ecos.
La vocación ejerce su mandato.
Coincidencia dichosa:
Madres hubo inspiradas,
Y nacieron poetas, sí, posibles.
Todo estaría por hacer.
                              ¿Se hizo?
Se fue haciendo, se hace.
Entusiasmo, entusiasmo.

---

* *Lola:* nombre del suplemento burlesco-cómico de la revista
generacional *Carmen,* editada por Gerardo Diego.

Concluyó la excursión,
Juntos ya para siempre.

(24)

(1938-1968)

A pie salí de España por un puente
Hace ya... ¿Cuántos años? Treinta. ¡Treinta
De emigración! Recuerdo: Bidasoa,
Irún, Hendaya, lucha cainita.
Fiel al destino sigue el caminante,
A cuestas con su España fatalmente.

(30)

El padre lee lo que el hijo escribe,
Y por aquella página ya impresa
Late un pulso de vida trascendida
Más allá, más allá. Sin fin la empresa.

Colección Letras Hispánicas

DE PRÓXIMA APARICIÓN

WITHDRAWN